分數・小數・百分數之卷

$$\frac{1}{2} = 0.5 = 50\%$$

匯識教育有限公司

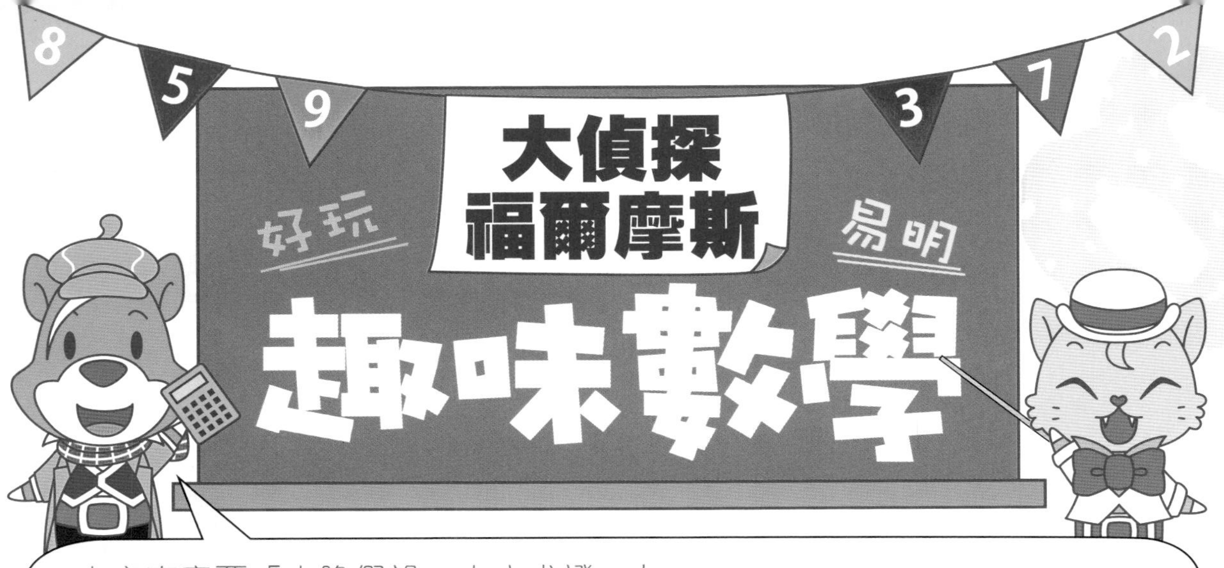

大家查案要「大膽假設，小心求證。」
身為偵探，首要仔細觀察，若掌握科學知識和數學邏輯，更事半功倍！
我為少年偵探隊度身設計《提升數學能力讀本》，大家要好好閱讀喔！

還記得嗎？福爾摩斯先生幫我們的朋友掙回工錢（註1）*，也曾救過我（註2）*呢！

＊1 詳見《大偵探福爾摩斯⑯ 奪命的結晶》（數字的碎片）　＊2 詳見《大偵探福爾摩斯⑫ 智救李大猩》（智破炸彈案）

《提升數學能力讀本》參考小學數學的學習範疇製作，共有六卷，大家可按自己的數學程度，隨意由任何一卷讀起。

這六卷書沒有深奧的數學理論及沉悶的說明，但有冒險故事、名人漫畫及數學的生活應用，令大家可以輕輕鬆鬆地投入數學知識的領域中。

- 加減乘除之卷
- 分數・小數・百分數之卷
- 平面・面積之卷
- 立體・體積之卷
- 度量衡之卷
- 代數・簡易方程之卷

內容精要

六卷書都有不同的有趣題材，教大家用數學應對日常生活所需，例如購物及理財；也有輕鬆一下、激活腦筋的「智力題」。另外你還可製作數學遊戲跟同學一起玩呢！

你知道嗎？我們每日都活在數學中啊！

cm² + − × ÷ √ % = LCM

生活數學

妙用數學幫你省錢省時，錯過了會後悔啊！

理財數學

儲蓄前想一想，用哪一種算法助你積少成多！

魔法數學

用數學推算，都可以猜到你的想法！

漫畫數學

看漫畫輕輕鬆鬆認識數學界名人！

數學趣話

不說不知！數學符號、公式及理論誕生的故事。

冒險故事

用數學去闖關的冒險故事，十分刺激啊！

腦筋運動營

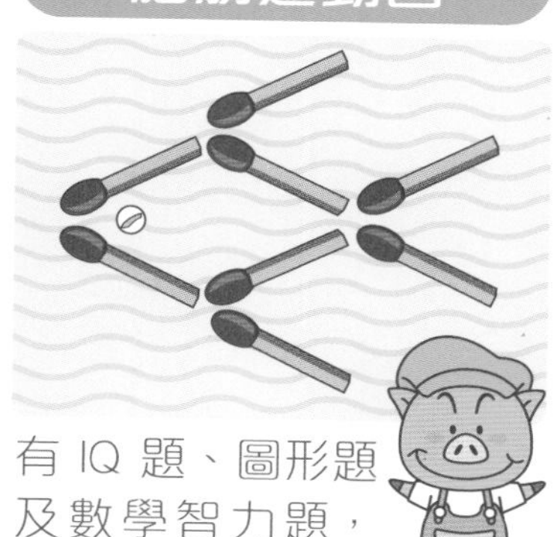

有 IQ 題、圖形題及數學智力題，讓你動動腦筋！

DIY 遊戲

每卷都有一款數學遊戲棋，自己製作，多人同玩，一起提升數學能力！

每卷書都會教你實用的「速算法」，可運用在學校功課和測驗中。

最後，M 博士會拋出一些應用練習題考驗各位，此時就可運用速算法了！

目錄 Contents

可在□內加上✓，記錄閱讀進度

腦筋運動營 42

IQ之巔：挑戰趣味智力題

學習重點：
放下算式，解開邏輯智力題。□

摺出數學 47

用摺紙學分數

學習重點：
用手工紙呈現分數、擴分、約分和分數除法的原理。□

DIY遊戲工程 50

分數遊戲卡

學習重點：
自己玩的遊戲自己做！在遊玩過程中，提升分數運算能力。□

◎製作方法…… 51
◎玩法一：算1高手 …… 51
◎玩法二：速算速決…… 53
◎玩法三：眼明手快…… 54
◎玩法四：時間觀念…… 56
◎製作材料…… 57

漫畫數學 63

擲幣得來的數學理論

學習重點：
見證概率論的誕生。□

數學小知識 75

費瑪的概率論

學習重點：
用「概率樹狀圖」計算複合事件的概率。□

速算秘笈 76

分數和小數速算大全

學習重點：
應用分數和小數的速算法。□

◎分數…… 76
◎小數…… 82

M博士向你下戰書 86

應用分數、小數和百分數

學習重點：
活用本書知識和速算法，完成由淺至深的練習題。□

◎基礎篇…… 86
◎進階篇…… 88
◎挑戰篇…… 90
◎答案…… 92

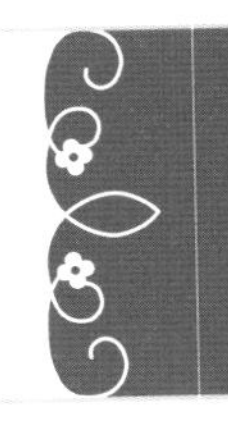

魔法學院米希羅

除不盡的17枚金幣！

插圖：KAI

在米希羅魔法學院的海洋體育館內，坐滿二千多名師生，欣賞每學期一度的運動盛事——**深海球爭霸盃**決賽。

「深海球」的比賽場地建立在50米深的海牀上，比足球場還大。球場兩邊，各有一個**懸浮**在水裏、直徑1米的垂直籃圈。球員要使出**渾身解數**，施展魔法來進攻和防守，並把球投進對方的籃圈，進一球，得一分，得分較多者勝出。

兩隊球員先用魚魔法在海中呼吸，然後三人一組，坐在機械海豚上**對壘**。

今天奪冠的隊伍可獲 10 枚總值一萬元的**金幣**，校長還會視乎隊員的比賽表現，額外頒發 1 至 10 枚不等的金幣。

學院共有四個學社，今屆由「積信學社」和大熱門「萊恩學社」在決賽對壘。代表萊恩學社上陣的有運動天才**馬克**、善用戰術的**莎貝拉**及力大無窮的**阿當**。

雙方目前 6 比 6 平手，比賽進入**最後 35 秒**，隔在玻璃幕牆外的觀眾，紛紛為自己支持的隊伍**吶喊助威**。

莎貝拉扶着眼鏡說：「時間無多，得快進攻！」阿當一臉疲累地問：「馬克，你還有魔力嗎？我把魔力全用來維持**防護罩**，剩餘不多……」拿着球的馬克回答：「我的魔力足夠施法一次，放心，我有個必勝的**妙計**！你們看着吧！」

緊接着，他騎着機械海豚，以最高速度**硬闖**對手的陣地。莎貝拉大聲喝止他：「馬克！你太胡來了！起碼要施個**護身咒**呀！」

不妙！馬克的機械海豚突然起火，**熊熊烈火**將馬克整個人包起來，活像一團大火球，衝向敵陣。對方球員頓時**方寸大亂**，來不及用防護罩或護身咒，就紛紛散開。

大火球突破對手的防線後，突然停下。「哈哈，我的**幻影魔法**夠逼真吧！」馬克揮一揮斗篷，所有火焰隨即**熄滅**，然後他全力投球，球像炮彈似的衝過籃圈。

「嗶——嗶——！」

球證的笛聲響起，7 比 6，萊恩學社勝出！莎貝拉和阿當歡呼：「金幣是我們的了！」

馬克從校長手上接過**榮譽旗幟**，校長認為這一隊靈活運用魔法，表現出色，合共頒發 17 枚金幣，以示獎勵。

比賽完滿結束，他們回到房間，莎貝拉問二人：「好了，你們還記得我們**賽前的約定**嗎？」三人賽前約定，奪冠後得分最高者可得全部金幣的 $\frac{1}{2}$；得分第二高者可得 $\frac{1}{3}$；得分最低者可得 $\frac{1}{9}$。

阿當回答：「當然記得！總共入了 5 球的**馬克可得 $\frac{1}{2}$**，入了 2 球的**莎貝拉可得 $\frac{1}{3}$**，沒有入球的**我可得 $\frac{1}{9}$**。」

問題比想像中複雜，因為 2、3 和 9 都**無法整除 17**！

馬克抱着頭說：「17 的 $\frac{1}{2}$ 是 8.5，但總不能把金幣切一半啊！」

莎貝拉嚷着說：「如果我拿 5 枚金幣，可不算是 17 的 $\frac{1}{3}$。」

阿當緊張得**大鼻子**也紅了，急忙說：「我一定要拿2枚金幣！只得1枚太少了！」三個人討論了半天，還是想不出法子。

突然，莎貝拉大喊：「我想到辦法了！」她唸起**複製咒語**，變出多一枚金幣，說：「把金幣**變成18枚**，就能夠按照我們的約定分配了！」馬克緊張地說：「擅自複製金幣是犯法的！」

「放心，分好金幣後，我就會把它**變走**。」莎貝拉冷靜地回答，「現在有 18 枚金幣，而 18 的 $\frac{1}{2}$ 是 9，18 的 $\frac{1}{3}$ 是 6，18 的 $\frac{1}{9}$ 是 2。」馬克和阿當十分驚訝：「厲害呀！全部都**整除**了！」

「9+6+2=17，剛好是我們贏到的金幣**總數**呢！」馬克說。

「既然我們分配好17枚金幣，那複製出來的第18枚就沒用了。」莎貝拉右手發出**閃光**，在複製的金幣上一抹，就把它變走了。馬克稱讚莎貝拉：「不愧是高材生，你的辦法真行！」莎貝拉**謙虛**地回應：「過獎了！」

他們**興高采烈**地把金幣分了之後，鐘聲響起，馬克對兩人說：「是時候吃晚飯了，我的金幣最多，我請你們吃飯吧！」

莎貝拉想了一想道：「難得有人**請客**，我要吃自助餐！」阿當興奮地和應：「好啊！之後再吃巨型黑森林蛋糕和特大裝雪糕！」

【完】

破解 除不盡的 17 枚金幣

17 是**質數**，任何數字也不能將它整除。
故事中，莎貝拉將 17 變成另一個數字，最終成功找到答案。

最初，我們試用右邊的算式，發現 17 枚金幣不能被整除。

$$17 \times \frac{1}{2} = 8.5$$

$$17 \times \frac{1}{3} = 5.\dot{6}$$

$$17 \times \frac{1}{9} = 1.\dot{8}$$

我嘗試把 $\frac{1}{2}$、$\frac{1}{3}$ 和 $\frac{1}{9}$ 通分母並相加，計算出答案是 $\frac{17}{18}$。你發現了嗎？分子是 17，等同我們手上的金幣數目！

如果我們有 18 枚金幣，就可按約定分配金幣，最後剩下 1 枚。

$$\frac{1}{2} + \frac{1}{3} + \frac{1}{9}$$

$$= \frac{1 \times 9}{2 \times 9} + \frac{1 \times 6}{3 \times 6} + \frac{1 \times 2}{9 \times 2}$$

通分母

$$= \frac{9}{18} + \frac{6}{18} + \frac{2}{18}$$

$$= \frac{17}{18}$$

所以，我複製出 1 枚金幣，變成 18 枚，再按約定的比例分配，馬克得到 9 枚，我得到 6 枚，阿當得到 2 枚。

最後，變走實際上不應存在的 1 枚金幣。我們比最初的計算結果還分得要多一點呢！

趣味分數運動

智力數學題有別於一般數式運算，一時不懂解答？別放棄！福爾摩斯和同伴們會給你提示，只要作不同嘗試，一定能發掘出答案！

運動一 分割時鐘

試畫出 5 條直線，把時鐘切成 6 份，而且每份的數字之和也一樣。

另外，試畫出 2 條直線，把時鐘切成 3 份，而且每份的數字之和也一樣。

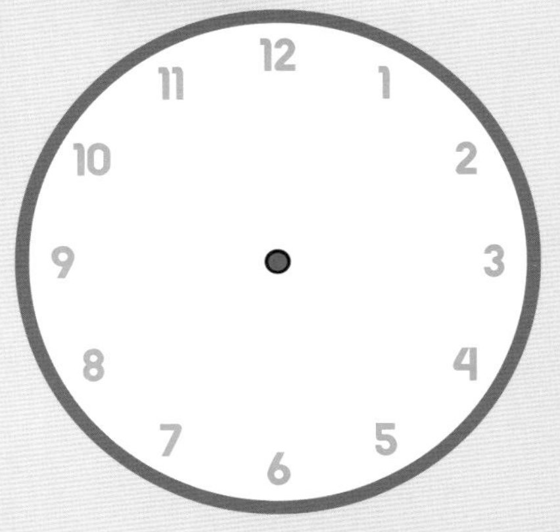

提示：
把時鐘切成 6 份，可理解成「鐘上的數字總和 ÷ 6」，除開後就得出每份數字之和。

答案在第 18 頁

運動二 如何分蛋糕

計算

觀察圖像化

我吃掉蛋糕的$\frac{1}{4}$，現在餘下$\frac{3}{4}$。
狐格森，考考你，現在要再切成 4 小塊，
怎樣切才能平均分成 4 塊形狀相同的蛋糕呢？

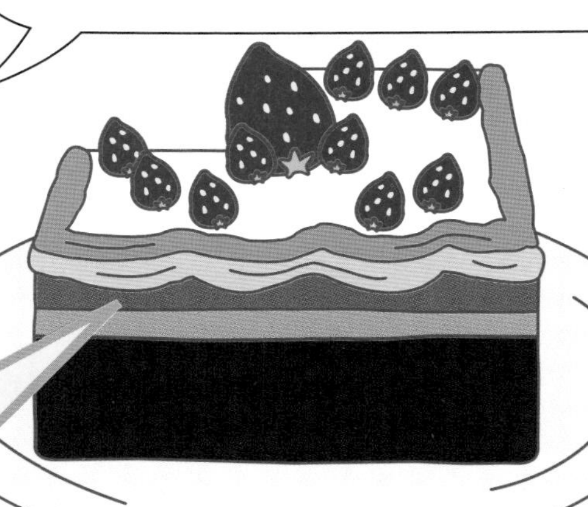

我知道答案！大家也想到了嗎？
提示：
切成 4 小塊後，每塊小蛋糕的形狀跟左圖的大蛋糕形狀一樣喔。

運動三 八分之一

計算 + 觀察

這裏有一張正方形的紙，你有辦法把它摺成原來面積$\frac{1}{8}$的正方形嗎？

提示：
首先要「邊對邊」對摺，到了某一階段，就要將每隻角向內摺。

答案在第 18 頁

運動四
分芒果好辦法

福爾摩斯又破奇案！找他查案的客人為表謝意，送來一箱芒果，數量太多，福爾摩斯決定跟 4 名少年偵探隊隊員分享。

小樹熊分到全部芒果的 $\frac{1}{5}$。

小麻雀可分到剩下來的 $\frac{1}{4}$。

小胖豬可分到剩下來的 $\frac{1}{3}$。

小兔子分到最後餘下的 $\frac{1}{2}$。

難道福爾摩斯偏愛小兔子？不，其實福爾摩斯十分公平，讓每人分到一樣的芒果數量！分完後，福爾摩斯手中還剩下 8 個芒果。福爾摩斯一開始有多少芒果呢？

提示：
小樹熊分完後，剩下芒果 $1-\frac{1}{5}=\frac{4}{5}$。
然後，你要運用分數乘法和減法，得出最終答案。

答案在第 18 頁

答案

運動一

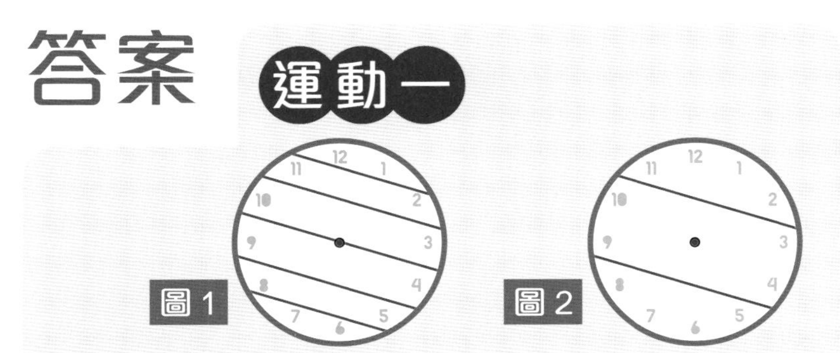

時鐘上數字總和是 1+2+3+…10+11+12 ＝ 78，題目要求分成 6 份，每份的值就是 78÷6 ＝ 13。以 13 為一份來劃分，就剛好能用 5 條線完成。

分 3 份的話，每份的和就是 78÷3 ＝ 26，因此以 26 為一份來劃分就行了。

運動二

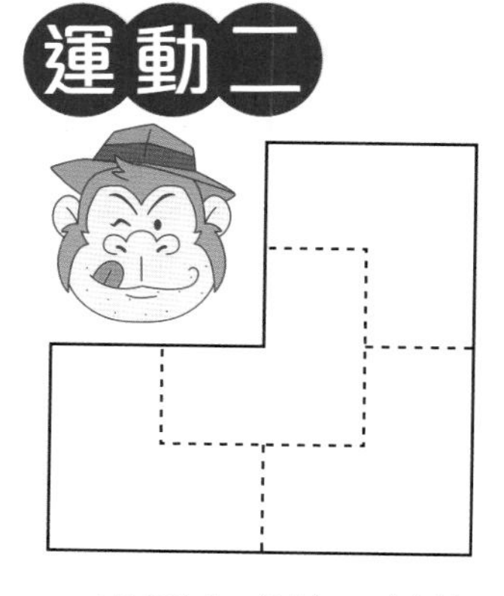

沿圖中虛線，就能切成 4 件形狀相同的蛋糕。

運動三

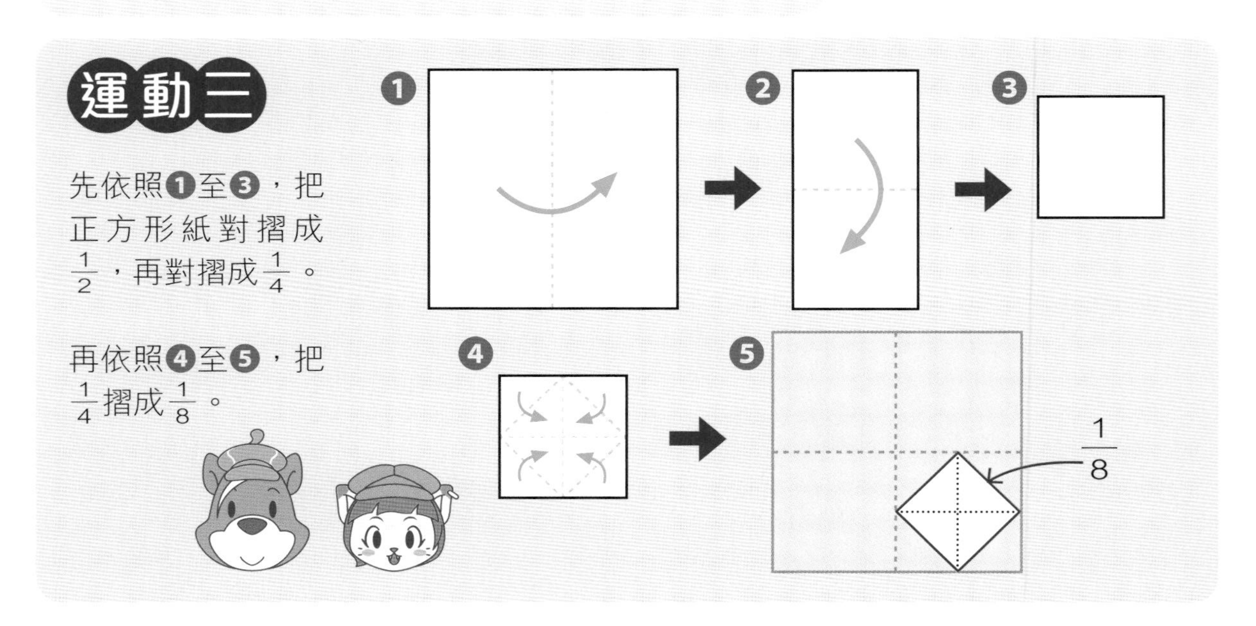

先依照❶至❸，把正方形紙對摺成 $\frac{1}{2}$，再對摺成 $\frac{1}{4}$。

再依照❹至❺，把 $\frac{1}{4}$ 摺成 $\frac{1}{8}$。

運動四

小樹熊分得 $\frac{1}{5}$。

剩下芒果 $\frac{4}{5}$，
小麻雀分得 $\frac{4}{5} \times \frac{1}{4} = \frac{1}{5}$。

剩下芒果 $\frac{3}{5}$，
小胖豬分得 $\frac{3}{5} \times \frac{1}{3} = \frac{1}{5}$。

剩下芒果 $\frac{2}{5}$，
小兔子分得 $\frac{2}{5} \times \frac{1}{2} = \frac{1}{5}$。

他們的芒果佔全部的 $\frac{4}{5}$，剩下的 8 個佔總數的 $\frac{1}{5}$，芒果的總數是 $8 \div \frac{1}{5} = 40$ 個。

另外，亦可以用以下算式求出答案：

$$8 \div (1-\frac{1}{5}) \div (1-\frac{1}{4}) \div (1-\frac{1}{3}) \div (1-\frac{1}{2})$$
$$= 8 \times \frac{5}{4} \times \frac{4}{3} \times \frac{3}{2} \times \frac{2}{1}$$
$$= 40$$

生活中的數學

同年同日生的機會是多少？

你有跟你同一天生日的同班或同級同學嗎？這樣的情況好像很罕見。但只要用「概率」計算一下，就知道也不難發生「同月同日生」呢！

射十二碼罰球只有入球或不入球的結果，所以說「射十二碼的球可以入龍門，或者不入龍門」，這句話在數學上就是擁有100%概率。

概率
講話者就會必然命中結果了。

概率（Probability）是什麼？

查案也會用到概率啊！

又稱為機率、機會率、或然率。以 0 至 1 之間的數值，表示事件可能發生的程度，也可用分數、小數或百分數表達。數值越大，表示發生的機會越高。

$$\text{某事件的概率} = \frac{\text{所求結果的數目}}{\text{全部可能的總數}}$$

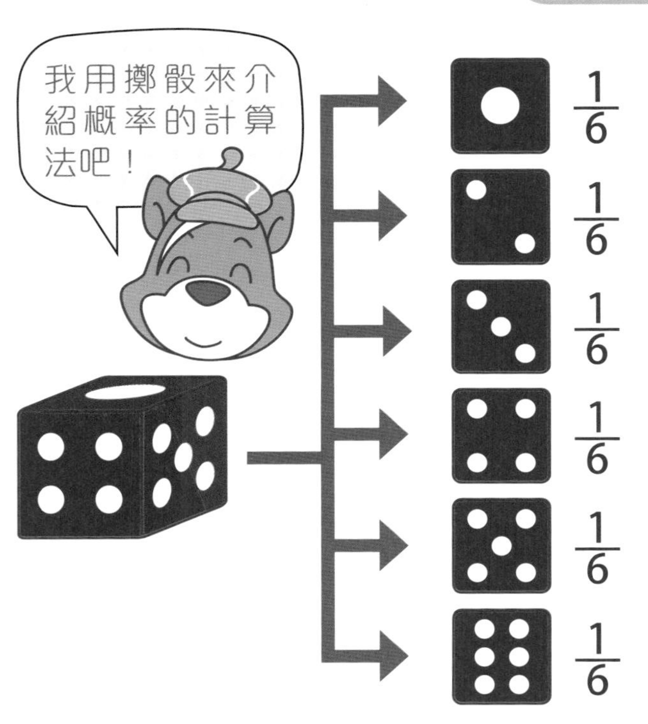

一顆骰子有 6 面，即有 6 個機會。「全部可能的總數」為 6，任何一面出現的概率是 $\frac{1}{6}$，擲出任何一面的機會均等。

我們調查犯案動機、犯人最有可能是誰，都會用上概率判斷。

假設你想擲出 3 或 4，3 和 4 佔骰子的 2 面，即有 2 個「所求結果的數目」。因此，擲出 3 或 4 的概率為 $\frac{2}{6}$。

把 6 個機會全都加起來，答案是 1。不管哪一種事件的概率，總數加起來必會是 1。

$$\frac{1}{6}+\frac{1}{6}=\frac{2}{6}$$

$$\frac{1}{6}+\frac{1}{6}+\frac{1}{6}+\frac{1}{6}+\frac{1}{6}+\frac{1}{6}$$

$$=\frac{1}{6}\times 6$$

$$=1$$ ← 總數加起來必會是 1

計算同年同日的概率

假設小兔子的少年偵探隊一共有 30 位同學，而他們出生的一年是平年，即 1 年有 365 天，沒有閏日。現在以此為例計算「有學生同月同日生」的概率吧！

在單一事件中，所有機會的概率相加必定是 1，因此「有學生同月同日生」的概率，和「沒有學生同月同日生」的概率，相加會等於 1。

有學生同月同日生的概率 ＋ 沒有學生同月同日生的概率 = 1

只要計算出「沒有學生同月同日生」的概率，再以 1 減去其數值，就能知道「有學生同月同日生」的機會有多大了！

第 1 位同學

假設小兔子的生日* 是11月11日。

第 2 位同學

只要小麻雀的生日是在餘下的 364 天之中，就跟小兔子不同。

$$\text{概率} = \frac{365-1}{365} = \frac{364}{365}$$

第 3 位同學

只要小樹熊的生日在餘下的 363 天之中，就跟前 2 人不同，如此類推。

$$\text{概率} = \frac{365-2}{365} = \frac{363}{365}$$

第 30 位同學

最後是小胖豬，只要他的生日在餘下的 336 天之中，就會和另外 29 人不同。

$$\text{概率} = \frac{365-29}{365} = \frac{336}{365}$$

* 想幫小兔子慶祝生日？請閱《大偵探福爾摩斯⑭ 縱火犯與女巫》（小兔子的生日）

將前頁的所有概率相乘，就得出「沒有學生同月同日生」的概率。

	第 2 位 小麻雀	第 3 位 小樹熊	第 4 位 阿猩	如此類推	第 30 位 小胖豬

沒有同學同月同日生的概率

$$= \frac{364}{365} \times \frac{363}{365} \times \frac{362}{365} \times \cdots\cdots \frac{336}{365}$$

$$= 0.2937\cdots \text{（約 0.3）}$$

以 1 減去 0.2937，就知道「有學生同月同日生」的概率。

有學生同月同日生的概率

$$= 1 - 0.2937\cdots$$

$$= 0.7063\cdots \text{（約 0.7）}$$

在 30 人的一班中，「有學生同月同日生」的機會率高達 0.7（即 70%）呢！

假設班上有 40 人，用上述方法計算「沒有學生同月同日生」的概率。

	第 2 位 小麻雀	第 3 位 小樹熊	第 4 位 阿猩	如此類推	第 40 位 小胖豬

沒有同學同月同日生的概率

$$= \frac{364}{365} \times \frac{363}{365} \times \frac{362}{365} \times \cdots\cdots \frac{326}{365}$$

$$= 0.1088\cdots \text{（約 0.1）}$$

因此在 40 人的一班中，「有學生同月同日生」的機會：
1 – 0.1088，即 89%。

班上人數愈多，就會愈大機會存在「同月同日生」的同學，你們可算一下班上「有同學同月同日生」的機會率啊！

減肥容易增肥難？

當一個美食家四處尋找美食，固然是不錯的體驗。不過，若果每日用餐太多或太少 —— 無節制地過量進食，體重就容易超標；相反，患上厭食症或過分節食減肥，就容易過輕，兩者都不健康。

我們學懂計算自己的標準體重的話，就有助制訂均衡飲食。一般人都覺得「增肥容易減肥難」，但原來在數學的角度恰恰相反！

華生，我最近吃了不少巧克力，好像胖了，我要不要瘦身呢？
先計算一下妳的「體重指標」，就知道是否過重了！

體重指標（BMI）

Body Mass Index（簡稱 BMI 即「體重指標」或「身體質量指數」，是衡量個人體重標準的國際指標，它適用於任何年齡及性別人士，以體重除以身高的平方計出數據。

$$\text{體重指標（BMI）} = \frac{\text{體重（公斤）}}{\text{身高}^{2}\text{（米）}}$$

計算體重指標時，要先將體重換為公斤，身高換為米。

愛麗絲的體重是 33.9 公斤，身高是 130 厘米（即 1.3 米）。

$$\text{BMI} = \frac{33.9\text{（體重）}}{1.3^{2}\text{（身高）}} \rightarrow \frac{33.9}{1.69} \rightarrow 20.059$$

根據世界衛生組織（World Health Organization，簡稱 WHO）西太平洋區 2000 的報告，亞太地區人士的體重指標如右：

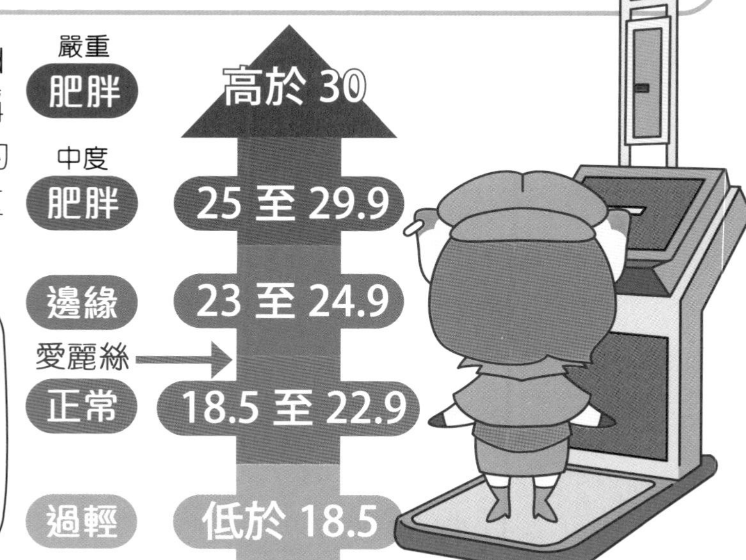

低於 18.5

妳的體重指標約為 20.1（四捨五入），體重屬於「正常」，毋需瘦身減肥，不用擔心啊！

我要減肥嗎？
減肥很辛苦的啊！
以數學角度看，其實你減肥比增肥容易，因為百分數不同了！

數學角度上減肥比增肥容易？

假設小兔子現在體重 40 公斤，他的目標體重約為30公斤，因此他需要減 10 公斤。以百分比計算的話，就是減去 25% 的體重了。

若果小兔子成功減至 30 公斤，可惜其後飲食不節制，體重回升 10 公斤。以百分數來計算的話，就是增加 $33\frac{1}{3}$% 的體重了。

計算減少的百分數是以原數為分母，此例子原數為小兔子現在的體重 40（公斤）。

$$\frac{40-30}{40} \times 100\% = \frac{10}{40} \times 100\%$$

分母（原數）

$$= 25\%$$

計算增加的百分數是以原數為分母，此例子原數即小兔子減去 10 公斤後，其體重 30（公斤）。

$$\frac{40-30}{30} \times 100\% = \frac{10}{30} \times 100\%$$

分母（原數）

$$= 33\frac{1}{3}\%$$

同樣是 10 公斤，因為原數不同，所以答案的百分數就不同。因此小兔子減肥 10 公斤只需要減去 25% 的體重，再回升 10 公斤會增加 $33\frac{1}{3}$% 的體重呢。

從百分數去看，減肥好像較容易呢！
這只是數學角度分析而已，減肥需要適量運動及均衡飲食，也不容易呢！

做個精明消費者

商店裏的貨品五花八門，除了價錢不同外，其包裝設計也不同。究竟怎樣比較貨品價格才好呢？

但禮盒裝的「單位價格」反比單購一件昂貴？

禮盒裝

一件

購物的數學

有一天，李大猩和狐格森一起到日系商品店購買零食餅乾，他們按個人口味去選心水產品，當中發現有不少數學奧妙，大家看看福爾摩斯如何向他們解釋吧！

你不知道隱藏了四捨五入法！

夾心餅 A

一小包共 8 塊
正價 $4.8

夾心餅 B

一小包共 8 塊
正價 $4.6

日系商品店發售的夾心餅 A 和 B，兩款品牌價格相若，而且也是我喜愛的口味，所以我一併買下了！我付款時出示會員卡，更享正價八折呢！收據上顯示金額是 $7.5，但我計算到 $7.52，何解？

狐格森計算 （$4.8 ＋ $4.6）x 0.8 ＝ $7.52

單據計算 $4.8 x 0.8 ＋ $4.6 x 0.8

$3.84 ＋ $3.68 ＝ $7.52

$3.8 ＋ $3.7 ＝ $7.5

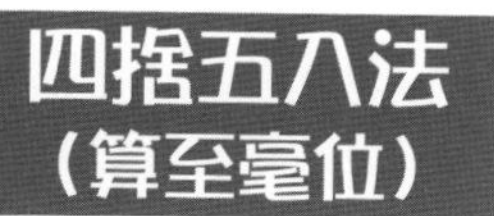

- 一般是計算所有正價貨品，再打八折，然後四捨五入至毫位；
- 有的商店因出售不同折扣產品，所以逐件貨品打折後，再計總和，然後四捨五入至毫位。

現行貨幣最低為一毫（一角），商店沒法找續更低一級的仙硬幣，都用「四捨五入法」算至毫位，所以狐格森實際可少付 $0.02。

打折算法的消費考慮??

我打算買夾心餅A、B、C，跟少年偵探隊分享，可惜我沒有會員卡，幸好遇上限時特賣，怎樣買才最划算呢？

一小包共 8 塊
正價 $4.8

一小包共 8 塊
正價 $4.6

夾心餅 C

家庭裝
八小包共 48 塊
正價 $36

限時特賣！

消費滿 $50 所有顧客均享九折

李大猩計算

$4.8 + $4.6 + $36 = $45.4
（夾心餅 A）（夾心餅 B）（夾心餅 C）

你預算的消費金額接近 $50，因消費 $50 享九折，所以不妨多買一包小額夾心餅，例如夾心餅 A 或 B，這樣消費滿 $50 再打九折，會更划算啊！

$4.8 + $4.6 + $36 + $4.6 = $50.0
（夾心餅 A）（夾心餅 B）（夾心餅 C）（夾心餅 B）

福爾摩斯建議 例如多購一包夾心餅 B

滿 $50 九折（90%） $50 × 0.9 = $45.0

划算！ 便宜了而且多一包夾心餅 B

「打折」（折扣算法）後再「四捨五入」（至毫或元位）是最常見的「購物數學」。以上例子，如想純粹計算哪種品牌夾心餅最便宜，可試試算出三個品牌每塊夾心餅的「單位價格（Unit Price）」，就清楚了。

珍珠奶茶的最小公倍數？

李大猩及狐格森買了夾心餅後，再去到珍珠奶茶店購買芝士奶蓋紅茶，他們見到飲品按容量大小設兩個售價，究竟買哪個分量最划算呢？

我們可購買 500cc 或 700cc，但哪個杯裝才最划算？
無論大中杯裝，我都能喝光，所以買最划算的杯裝吧！

註：CC 是 cubic centimeter（立方公分）的縮寫，cc 與 ml（毫升）均等，500 c.c = 500 ml。

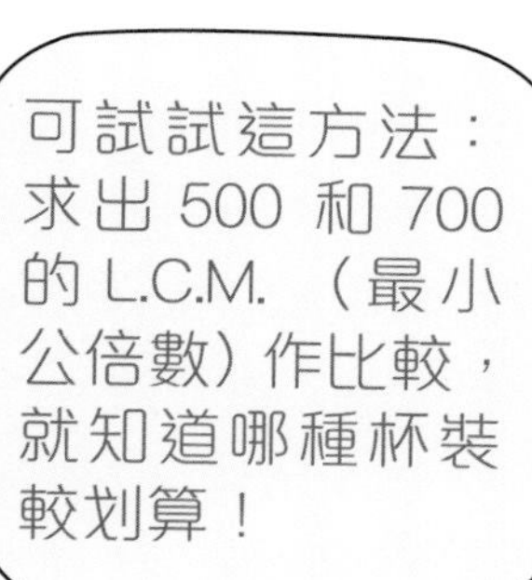

可試試這方法：求出 500 和 700 的 L.C.M.（最小公倍數）作比較，就知道哪種杯裝較划算！

500 x 7 = 3500

700 x 5 = 3500

500 和 700 的最小公倍數是 3500。如要買夠 3500cc，中杯裝（500cc）要買 7 杯，合共 126 元；大杯裝（700cc）只要買 5 杯，合共 100 元。

$18 (500cc) x 7 = $126 比 $20 (700cc) x 5 = $100 → 多付 $26！

飲品店通常這樣訂價，以促銷大杯裝飲品。如客人能喝光大杯裝，買大杯裝是最划算的！另外，一般紙包飲品的家庭裝（例如 1000ml），比同類 4 包的 250ml 小包裝便宜，都源自以上概念。

多購買必划算？惜食香港

呼籲惜食的「大咄鬼」常說：「食得晒至好嗌（Think before you order food）！」市面上，購買多件或家庭裝產品，都比單購一件划算。不過也有例外，部分商店因營銷手法及包裝不同，有時購買多件或禮盒裝並不比單購便宜。購買食物時要預計合適食量，以免剩下的食物因過期而要丟棄！

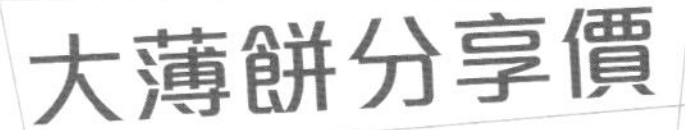

大薄餅分享價

$12.5 / 塊

$100/ 個

只有我們二人吃薄餅，我只能吃 3 塊，李大猩你能吃 5 塊才買完整一個薄餅啊！

多買好划算？

假設某薄餅店售賣素食大薄餅，將大薄餅切成 8 塊，其 1 塊售價 $12.5，整個大薄餅的售價 $100。

$$\$100 \div 8 = \$12.5$$

計算平均一塊的單位價格，其實價格均等，多買也沒有便宜啊！

這種訂價用意在吸納預算有限的顧客，例如狐格森一人用餐時可只賣三塊，不會因吃不下而放棄光顧。

禮盒裝好划算？

原價 $11.9 1 件

在農曆新年，常見市面有賀年禮盒裝零食，禮盒裝因加上豪華包裝，增加了成本，所以這樣的多件購買情況，其「單位價格」會比單購一件昂貴。

$$\$78 \div 6 = \$13.0$$

如果顧客僅僅買來自用，並不需要豪華包裝，可按需要逐次購買，這樣就能更加省錢了！

賀年禮盒裝 $78/6 件

數學趣話

永無止境的有趣數字

分數可以轉化成小數，某些分數在轉化為小數時會出現無限小數位的情況，而且數字排列也十分有趣，看看以下幾個例子吧！

3 分之幾

分數可寫成一條除數算式，例如$\frac{1}{3}$可寫成1÷3，分子是被除數，分母是除數。

我知道啊！用除式可以「分數化小數」，讓我來計算1÷3的小數答案！……咦？為甚麼一直除下去也是3？

```
      0 . 3 3 3 3 ……
   ┌──────────────
 3 ) 1 . 0 0 0 0
       9
     ─────
       1 0
         9
       ─────
         1 0
           9
         ─────
           1 0
             9
           ─────
             1
             ⋮
```

因為1÷3是除不盡的！將$\frac{1}{3}$化成小數會得出0.333333…當小數點後的數字不斷重複，我們就稱之為循環小數，在這例子中，可寫成$0.\dot{3}$。

循環小數（Repeating decimal）

將$\frac{2}{3}$化成小數，同樣得出循環小數。因為$\frac{2}{3}=\frac{1}{3}\times 2$，即0.333333…×2，答案是0.666666…（可寫成$0.\dot{6}$）。

$$\frac{2}{3}=2\div 3$$
$$=0.66666\cdots$$
$$=0.\dot{6}$$

9 分之幾

分母為9的分數化成小數，答案也十分有趣，先以$\frac{1}{9}$為例，$\frac{1}{9}=\frac{1}{3}\div 3$，即0.333333…÷3，得出0.111111…（即$0.\dot{1}$）。

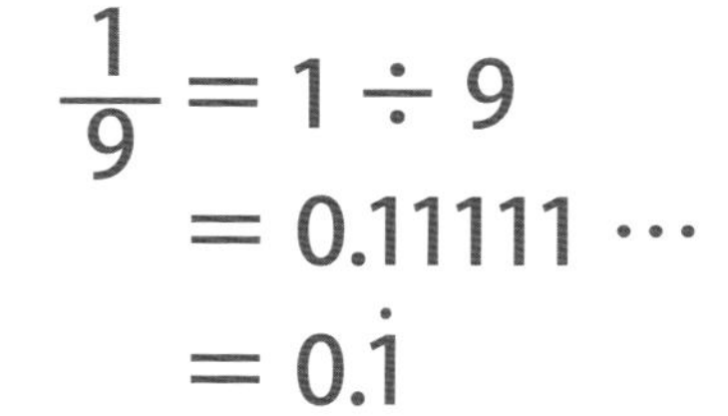

$\frac{1}{9}=1\div 9$
$=0.11111\cdots$
$=0.\dot{1}$

另外，將$\frac{2}{9}$化成小數也同樣有趣，$\frac{2}{9}=\frac{1}{9}\times 2$，得出0.222222…（即$0.\dot{2}$）。

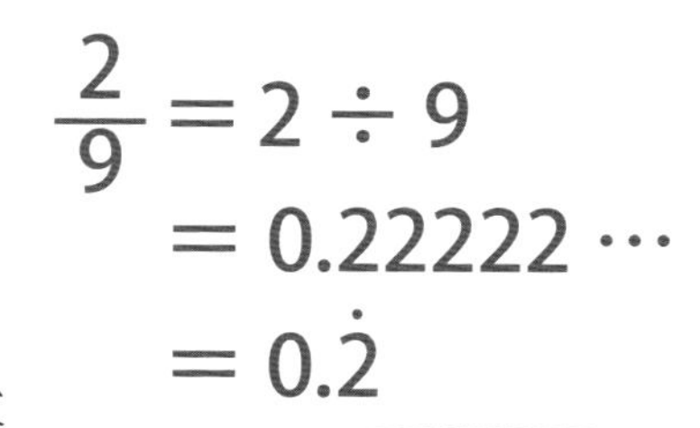

$\frac{2}{9}=2\div 9$
$=0.22222\cdots$
$=0.\dot{2}$

真神奇！所有分母為9的分數，化成小數後必定是循環小數，而重複的數字就是分子的值：

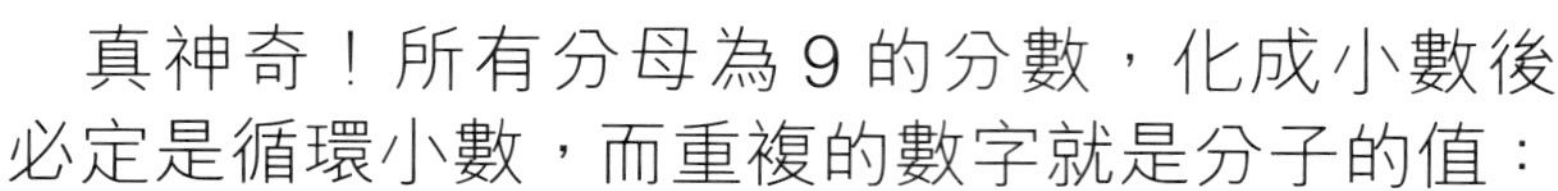

$\frac{3}{9}=0.33333\cdots=0.\dot{3}$	$\frac{6}{9}=0.66666\cdots=0.\dot{6}$
$\frac{4}{9}=0.44444\cdots=0.\dot{4}$	$\frac{7}{9}=0.77777\cdots=0.\dot{7}$
$\frac{5}{9}=0.55555\cdots=0.\dot{5}$	$\frac{8}{9}=0.88888\cdots=0.\dot{8}$

分母是99、999甚至9999都有這個特性，可自行驗証看看！

7分之幾

循環小數不一定局限於同一數字不斷重複，亦可以是一串數字不斷重複，例如$\frac{1}{7}$，用直式方法計算，化成小數會得出：

$$\frac{1}{7}=0.142857142857142857\cdots$$

$$\begin{array}{r} 0.1428571\ldots\ldots \\ 7\overline{)1.0000000} \\ 7 \\ \hline 30 \\ 28 \\ \hline 20 \\ 14 \\ \hline 60 \\ 56 \\ \hline 40 \\ 35 \\ \hline 50 \\ 49 \\ \hline 10 \\ 7 \\ \hline 3 \\ \vdots \end{array}$$

小數點後的 142857 不斷重複，因此，$\frac{1}{7}$化成小數會得出循環小數 $0.\dot{1}4285\dot{7}$。

我們又試試將$\frac{2}{7}$化成小數吧！

$$\frac{2}{7}=0.\dot{2}8571\dot{4}$$

重複的數字為 285714。再看看以下分母都是 7 的分數，化成小數後，出現一個共通的規律！

$\frac{3}{7}$ = 0.142857	$\frac{5}{7}$ = 0.714285
$\frac{4}{7}$ = 0.571428	$\frac{6}{7}$ = 0.857142

細心觀察，你會發現分母為 7 的分數化成小數後，小數點後的數字也是由 142857 這 6 個數字和順序組成。

這些小數真特別，還有更多例子嗎？

有！分母為 11、13 等的分數化成小數後，也會出現有趣的循環小數，大家不妨動動手，算算看！

埃及獨有的分數

有記載以來，最早用分數的就是埃及人，他們用的分數和現在的有點不同，數學家特別稱之為「埃及分數」。

這個符號是「下雨」的意思嗎？
它是一個埃及分數啊！

埃及分數 (Egyptian fraction) 的由來

古埃及人早在公元前 1800 年就使用分數，除 $\frac{2}{3}$ 外，他們的分數的分子必定是 1。現代數學家把分子是 1 的分數稱作埃及分數。

文獻出土 一張幾千年前的紙

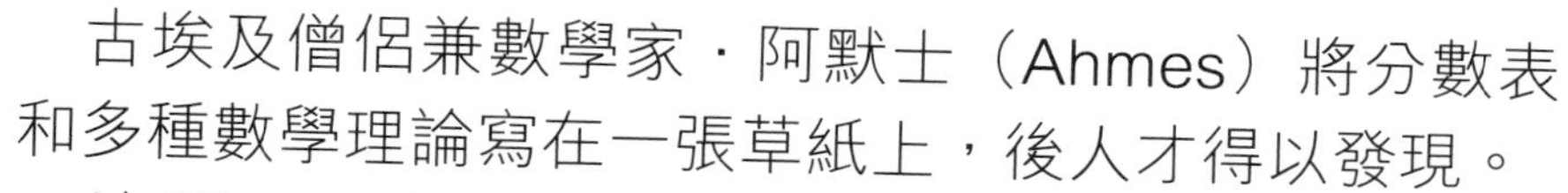

古埃及僧侶兼數學家・阿默士（Ahmes）將分數表和多種數學理論寫在一張草紙上，後人才得以發現。

這張公元前的阿默士紙草書（The Ahmes Papyrus）是重要歷史文物，現藏於大英博物館。

據説，古埃及人用分數來分配東西時，常以一份為單位，所以乾脆把分子設成 1 來標示。

埃及分數的寫法

右表對照埃及數字與阿拉伯數字。
由於分子是 1，埃及人用 (◎) 加在整數上，表明它是一個分數，如下表所示。

埃及數字與阿拉伯數字對照表

阿拉伯數字	1	10	100
埃及數字			

以下是 $\frac{1}{3}$ 至 $\frac{1}{10}$ 在埃及分數的寫法：

$\frac{1}{3}$	$\frac{1}{4}$	$\frac{1}{5}$	$\frac{1}{6}$	$\frac{1}{7}$	$\frac{1}{8}$	$\frac{1}{9}$	$\frac{1}{10}$

但 $\frac{1}{2}$ 的符號很獨特，古埃及人會這樣寫：

問

古埃及人發明「幾分之1」的寫法，那他們**怎樣表示「幾分之幾」**？例如$\frac{4}{5}$，他們要怎樣寫？

答

分子非1時，他們會**用埃及分數寫一條算式來表示**。我們可用「比較分數大小」的原理求出算式！

埃及分數轉化法

1 以$\frac{4}{5}$為例，先找出比$\frac{4}{5}$小又最接近它的埃及分數，再加上$\frac{4}{5}$與該埃及分數的差。

$$\frac{4}{5}=\frac{1}{2}+\frac{3}{10}$$

根據以下數線，比$\frac{4}{5}$小又最接近它的埃及分數是$\frac{1}{2}$。

$\frac{4}{5}-\frac{1}{2}=\frac{3}{10}$

0 —— $\frac{1}{2}$ —— $\frac{4}{5}$ —— 1

2 $\frac{4}{5}$變成$\frac{1}{2}+\frac{3}{10}$，但$\frac{3}{10}$不是埃及分數，因此再找出比$\frac{3}{10}$小又最接近它的埃及分數。

$$\frac{4}{5}=\frac{1}{2}+\frac{1}{4}+\frac{1}{20}$$

根據以下數線，比$\frac{3}{10}$小又最接近它的埃及分數是$\frac{1}{4}$。

$\frac{3}{10}-\frac{1}{4}=\frac{1}{20}$

0 —— $\frac{1}{4}$ —— $\frac{3}{10}$ —— $\frac{1}{3}$ —— 1

因此，當古埃及人要表達$\frac{4}{5}$時，會以埃及分數寫成$\frac{1}{2}+\frac{1}{4}+\frac{1}{20}$算式。

$\frac{4}{5}$亦可寫成另一種埃及數字算式，你知道怎樣寫嗎？

當然知道！就是$\frac{1}{2}+\frac{1}{5}+\frac{1}{10}$！兩種寫法也正確！

利息的威力

英文諺語說「save money for a rainy day」（未雨綢繆），儲蓄是良好習慣，在銀行存款可賺取利息，了解銀行運作是必備知識啊！

愛麗絲的心得

小兔子想將辛苦打工的錢儲起來，他聽愛麗絲建議把錢存進銀行，讓銀行代為看管及賺取利息，所以便跟愛麗絲去開兒童戶口。

Bank
??
銀行幫我看管存款，還要付利息給我，這麼划算!?

銀行的運作

銀行業利用客戶存款去營商，然後派利息吸引客戶繼續存款。

存款者

1 假設李大猩作為「存款者」，將 $10000 存入銀行。

借貸者

2 銀行將李大猩的存款借給華生，華生此時是「借貸者」。

3 華生與銀行訂立協議，一年後連本帶利還款時，按協議多付若干百分比，例如年利率 5% 為利息。

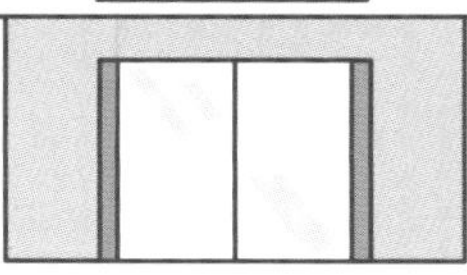

$10000 × 5% ＝利息 $500

4 銀行將從華生賺取的利息抽一小部分，以年利率 1 % 給李大猩為存款利息，其餘 4% 是銀行的利潤。

100

存戶派息 $100

銀行把客戶存款借給需要資金周轉者（例如置業、交學費、營運公司），賺取貸款利息為利潤，然後派息給存戶。銀行、存款者及借貸者三方都能得益。

存款年利率為何浮動？

香港銀行業界的存款年利率，主要隨貸款年利率互動升跌：即貸款年利率下跌，存款年利率就會下調，貸款年利率上升，存款年利率也可能上調。

不過，銀行業界可自由訂立存款利率，以高息定期存款利率吸引新客戶。存款者可比較多家銀行的存款利率，才決定到哪一家存款。當然，選一家信譽良好的銀行也重要啊。

註：銀行業界規定年利率不得超過 48 厘（48%）。

儲蓄帳戶的選擇

銀行提供多種存款服務，存戶可視乎息率及手上資金寬裕程度選擇。

活期存款
Savings Account

存款者在儲蓄期內，可自由提款或存款。自由度大，但年利率偏低。

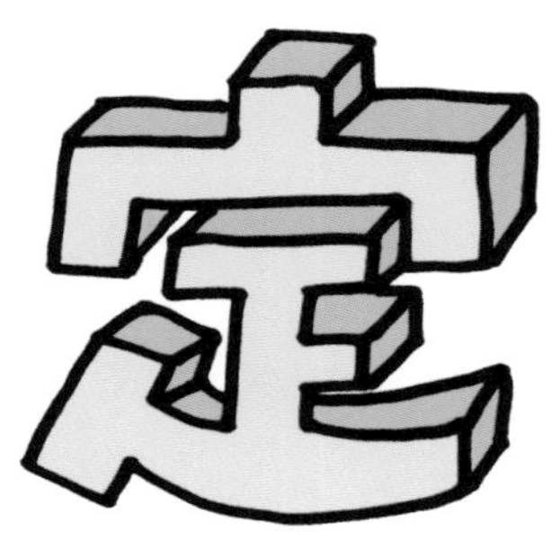

定期存款 Time Deposit Account

存款者要等到儲蓄協議期之後，才能提款或存款，存款期間強行提款會喪失利息及另付手續費。定期的限制較活期大，所以銀行制訂比「活期」高的存款年利率，吸引客戶。

零存整付 Installment saving

存戶要定期（如每月或每季）存入指定金額，在整個定期存款計劃到期後，才能提取「本利和」。此計劃用複息制計息，每期所得本利和，與追加的新存款，成為「新的本利和」滾存至下一期，重新計息。雖然年利率固定不變，但因本金愈滾愈大，利息也愈多。

香港的存款保障計劃

若某銀行擁有大量無力還款的借貸者，即「呆壞帳太多」，這會令銀行資金周轉不靈，存戶擔心無法取回存款，甚至蜂擁提款，出現信心危機。

所以不少地方都設立存款保障，即使銀行結業，存戶都得補償。香港金融體系內的「存款保障計劃」，高達上限 50 萬港元，活期、定期甚至外幣戶口都有保障，讓存戶放心。

單息與複息

銀行計算利息主要有單息制和複息制。

單息制 Simple Interests

不論存款期有多長，只以存款時金額為計算利息的基準。

存款 $10000 → ×1.15 → 3 年後 本利和 $11500

算式

$$A = p(1 + n \times r\%)$$

A = Amount
本利和：
本金＋利息的總和。

p = principal
本金：
存款金額。

n = number of periods
存款周期：多以「年」為單位。

r = rate
利率：銀行在每個存款周期所付的利息。

小兔子有本金 $10000，存款 3 年，年利率 5%，本利和即 $11500，當中有 $1500 利息。

$$\begin{aligned} & 10000 \times (1 + 3 \times 5\%) \\ = & 10000 \times (1 + 15\%) \\ = & 10000 \times 1.15 \\ = & 11500 \end{aligned}$$

複息制 Compound Interests

在每個存款周期後，銀行將利息加上本金，變成新本金再滾存派息。

存款 $10000 → ×1.05 → 1 年後本利和 $10500 → ×1.05 → 2 年後本利和 $11025 → ×1.05 → 3 年後本利和 $11576.25

算式

$$A = p(1 + r\%)^n$$

若果小兔子的存款用複息制計算，3 年後，$10000 的本利和變成 $11576.25，當中有 $1576.25 利息。

$$\begin{aligned} & 10000 \times (1 + 5\%)^3 \\ = & 10000 \times 1.05^3 \\ = & 10000 \times 1.157625 \\ = & 11576.25 \end{aligned}$$

從上例 3 年後 $10000 本利和比較，複息制比單息制多了 $76.3，所以複息制的存款計劃都較受客戶歡迎。

複息制的時間力量

在複息制中，本金會不斷變大，所得的利息較高。假設存款 $10000，年利率 5 %，期間不再存款，複息制滾存 14 年後，金額就接近原來的 2 倍。

複息制	單息制
$10000 \times (1 + 5\%)^{14}$	$10000 \times (1 + 14 \times 5\%)$
$= 10000 \times (1.05)^{14}$	$= 10000 \times (1 + 75\%)$
$= 10000 \times 1.9799......$	$= 10000 \times 1.70$
$= 19799$（準確至整數）	$= 17000$

雖然 14 年儲蓄，時間相當長……但複息制的收益遠超單息制，從上例可見，單息制 14 年後只有 $17000，與複息制相差達 $2799。證明時間愈長，複息制與單息制的收益相差更大。

72法則 The Rule of 72s

想知道存款多少年後本金翻倍，可用個簡單速算法：72 法則。此法在計算年利率 20% 或以下，僅有輕微誤差，所以廣為使用。

72 ÷ 年利率 = 本金翻倍時間

Bank

72 法則示例

$72 \div 5 = 14.4$

實際年期：14.2 年

將 72 除以年利率，就知道大約在多少年後，存款變成本金翻倍。

貨比三家，若我找到提供年利率 6% 的銀行，存 12 年便可翻倍了！

挑戰趣味智力題

看完一堆算式，會不會感到頭昏腦脹？來玩玩智力題，幫腦筋鬆一鬆，突破數字的框架吧！別讓算式限制邏輯思維啊！

運動一 誰沒有食物？

蘇格蘭場的督察買了 35 碟炸魚薯條，分給屬下共 38 名警探。督察採用報數的分法，警探們站成一圈，由 1 號位置的人開始報數，由 1 報到 3，報 3 的人收到食物便離開，不再報數，一直循環，直至派光全部 35 份為止。最後哪 3 個位置的人收不到食物呢？

運動二 移杯遊戲

圖 A

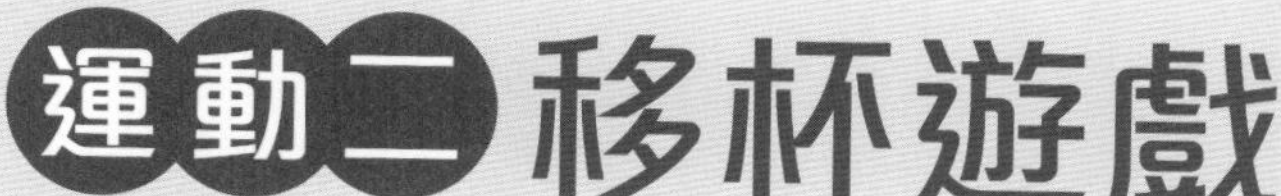

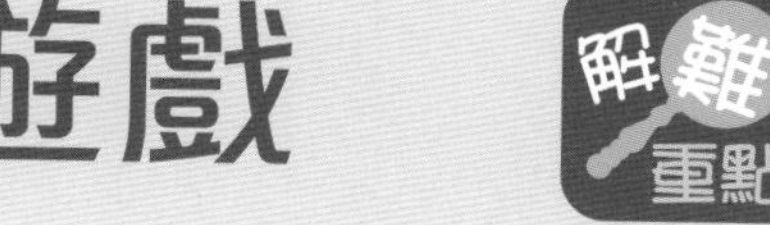

圖 B

圖 A 有 6 隻杯子，1 至 3 號是空的，4 至 6 號有橙汁，你能只移動 1 隻杯子，把圖 A 變得跟圖 B 一樣嗎？

提示：不要只考慮杯，試試調動杯內的橙汁！

答案在第 46 頁

運動三
魚兒向左向右游

+

這裏有一條用火柴砌成的魚，它正在向左游。你能只移動 3 根火柴，令魚兒變成向右游嗎？

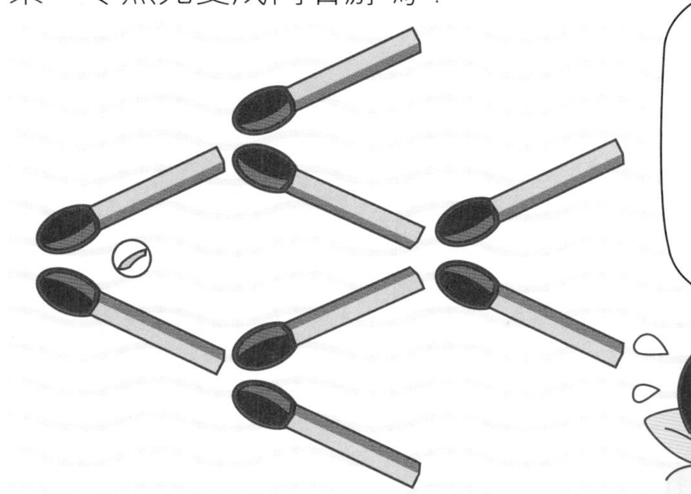

提示 A：你可以用牙簽排成左圖的魚，動手嘗試不同的擺放方式。

提示 B：不要被題目的「左右」限制思路，你可向上／下移動啊！

運動四 帽子的顏色

以下有 4 頂紅色帽和 1 頂藍色帽。愛麗絲和小兔子閉上眼睛，福爾摩斯為二人戴上紅帽，再請二人開眼，猜猜自己頭上的帽子顏色。

他們互相凝視了一會兒，不約而同地回答紅色。為甚麼他們都知道自己戴的帽子是紅色的？

答案在第 46 頁

運動五 9 點連環

下圖以 9 個圓點排成正方形，試試用一筆畫出 4 條相連的直線，並通過所有圓點。注意，每點只能通過一次。

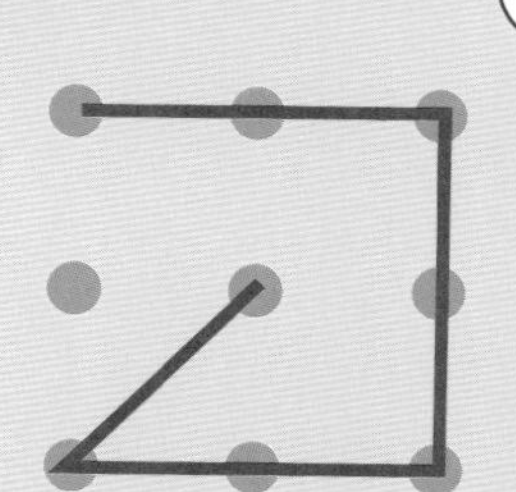

這樣不能通過全部點呢！

提示 A：不要受小兔子影響，試從右下角開始畫線。
提示 B：把線畫長一些，在沒圓點的空白處轉角吧！

運動六 煎牛扒

M 博士家只有一個平底鍋，一次能煎 2 塊牛扒，牛扒每面要煎 30 秒才熟，煎熟 2 塊牛扒要 1 分鐘，煎熟 3 塊牛扒應該要 2 分鐘，但 M 博士巧秒地只花了 1 分鐘 30 秒就完成，他是怎樣辦到的呢？

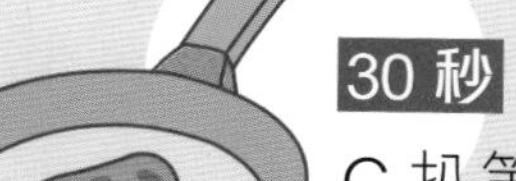

A 扒第 1 面　B 扒第 1 面

A 扒第 2 面　B 扒第 2 面

C 扒第 1 面

C 扒第 2 面
一般人都用右面的方法煎牛扒，但我可不是呢。
提示：一塊牛扒不必連續 60 秒都在平底鍋內！

答案在第 46 頁

答案

運動一

督察再多買3份炸魚薯條就夠分了！

沒有炸魚薯條的是7、22和26號位置的警探。

運動四

藍色帽只有1頂。如果小兔子看到我戴藍色帽，他會立即說自己戴的是紅色帽，但他默不作聲，由此推斷，我戴的不是藍色帽，而是紅色帽。

我也是根據這個假設去推理的！

運動二

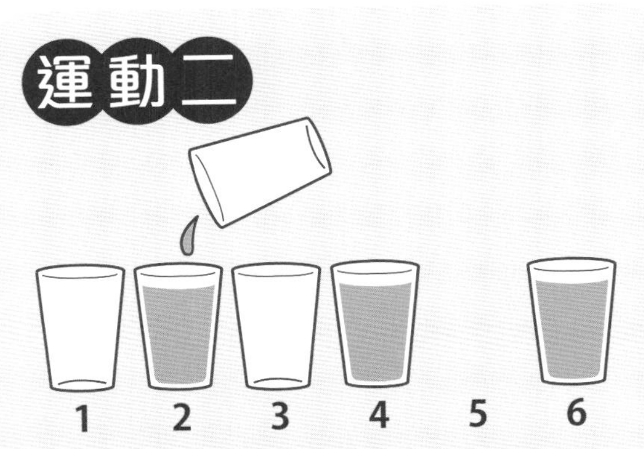

拿起5號杯，將橙汁倒進2號杯就可以了！

運動五

如右圖畫，就能一筆畫出4條線並通過所有點！

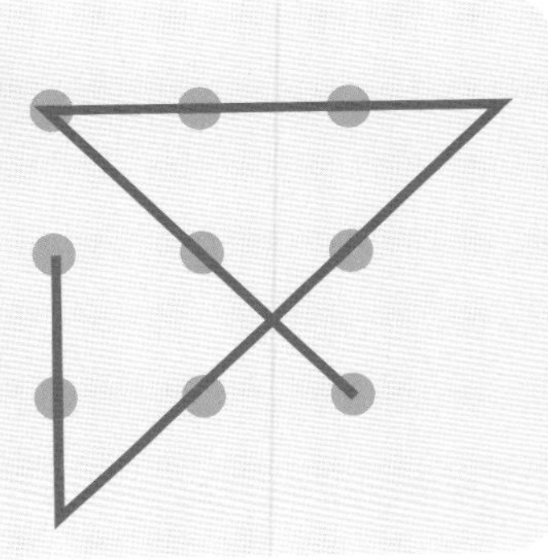

運動三

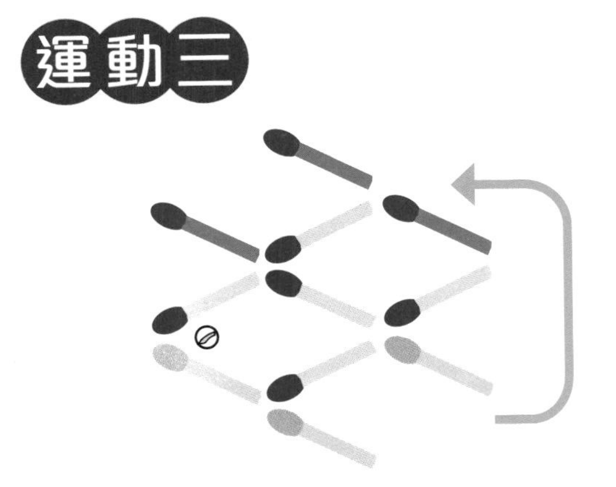

如上圖，將灰色的火柴移到藍色火柴的位置即可。

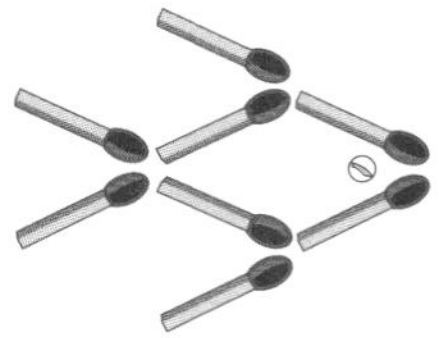

運動六

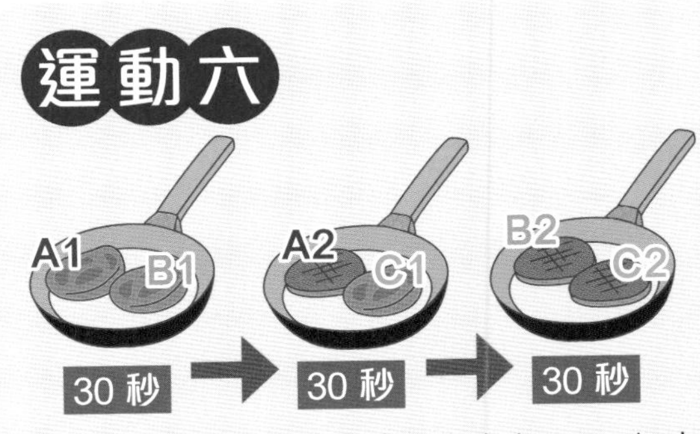

在1分鐘30秒內煎好3塊牛扒的方法如下：

❶首30秒，煎牛扒A和B。

❷接下來的30秒，反轉牛扒A煎另一面，夾走牛扒B，把牛扒C放進去煎。

❸最後30秒，將兩面熟透的牛扒A夾走，反轉牛扒C煎另一面，放入牛扒B煎另一面。

用摺紙學分數

摺紙和分數都有關聯，只要用本頁的「對摺法」和後頁的「橫間法」，用一張普通的手工紙就能把分數「摺出來」！

對摺法

仔細觀察，能發現 2 的次方數，例如

$2^1 = 2$　$2^2 = 4$　$2^3 = 8$

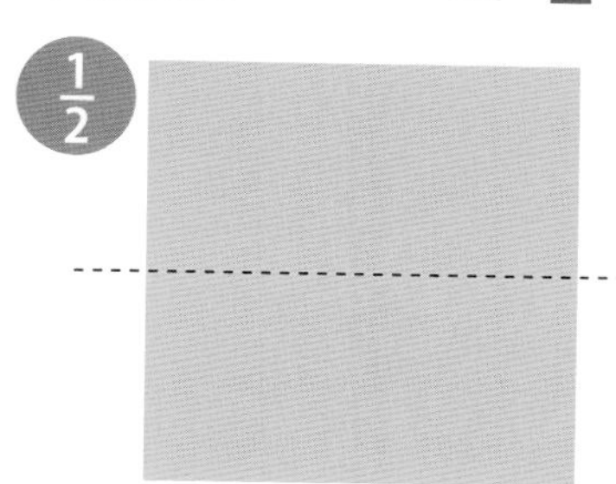

對摺 1 次，打開後，可見紙張分成 2 等份。

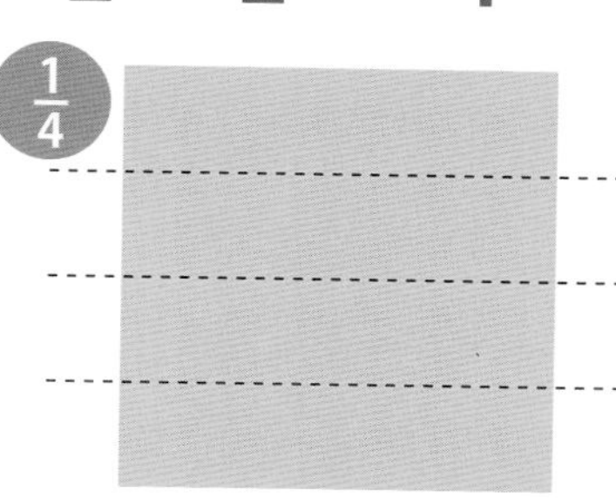

對摺 2 次，可分成 4 等份！

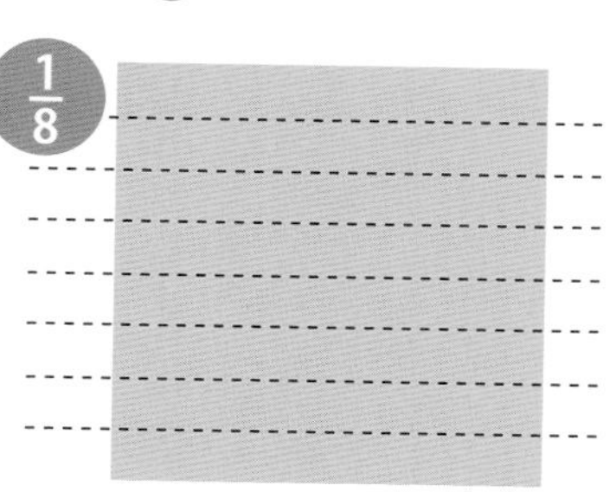

對摺 3 次，可分成 8 等份！

橫間法

要將手工紙分成 3 等份，須準備一件工具輔助：單行紙。

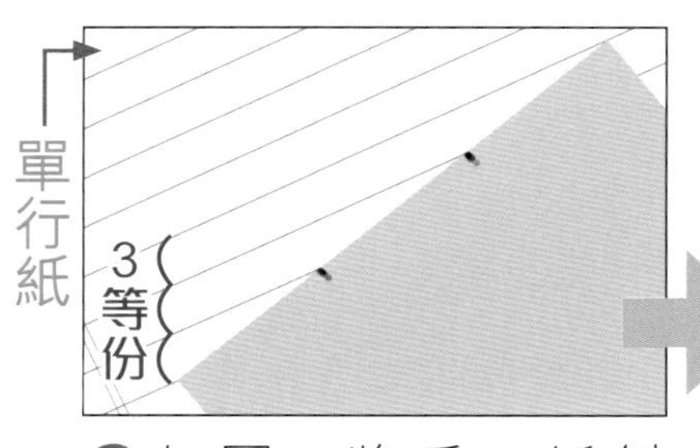

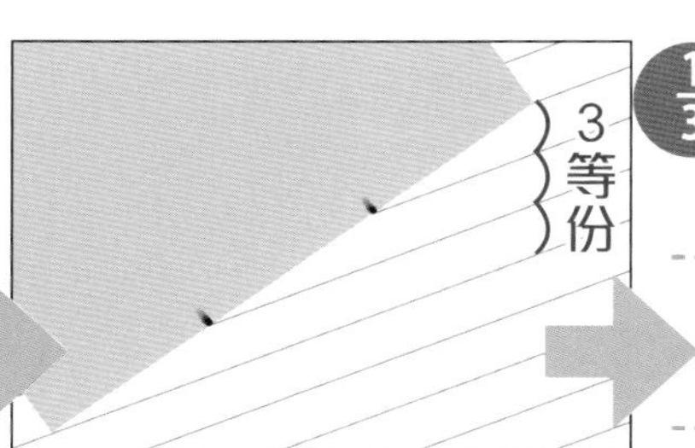

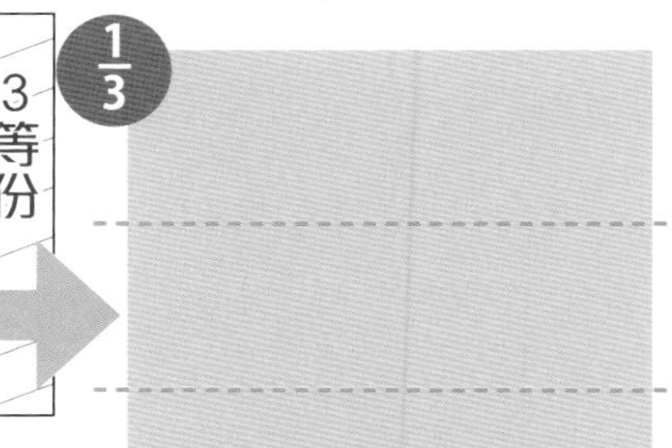

❶如圖，將手工紙斜放在 3 等份的線條之間，並在線條與紙邊的交匯處加上記號。

❷在另一邊也加上記號，按記號對摺，得出右圖的摺痕。

成功分為 3 等份！

我想分成 5 等份，也能用上面的「橫間法」嗎？

可以！記住，無論想分多少，單行紙的行距必須相同啊。

做法同上，將手工紙斜放在 5 等份的線條之間，加上記號……

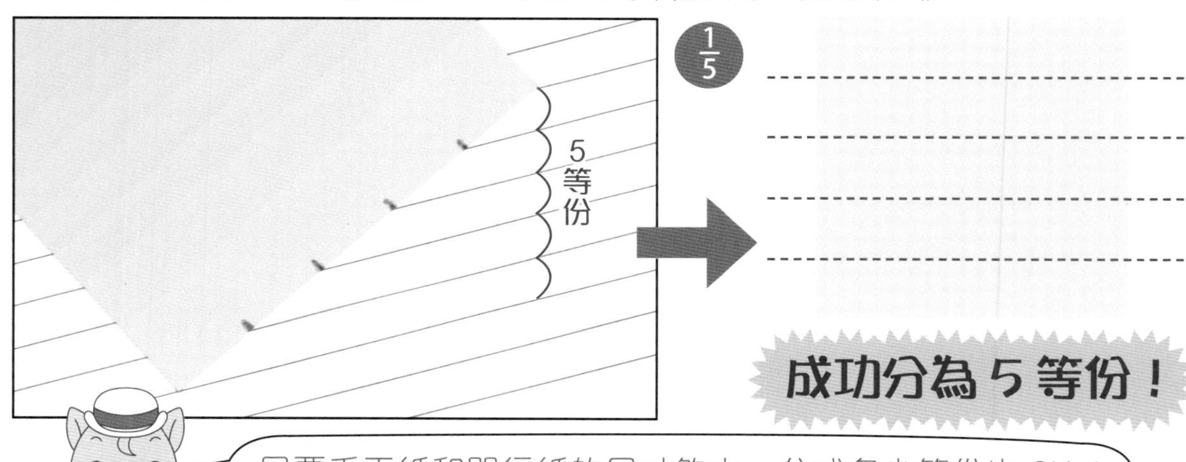

成功分為 5 等份！

只要手工紙和單行紙的尺寸夠大，分成多少等份也 OK ！

擴分和約分

分割手工紙背後隱藏了分數原理：擴分和約分！

❶以 $\frac{2}{5}$ 為例，先以上述方法，把紙分成 5 等份，再把其中 2 份填上顏色。

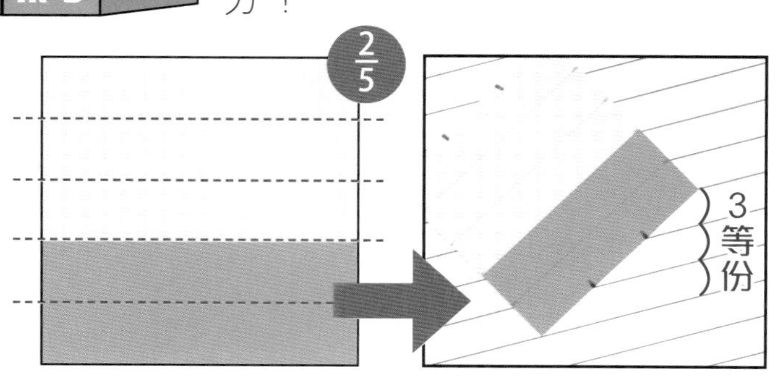

❷假設要將 $\frac{2}{5}$ 擴分 3 倍。以上述方法，在未有摺痕的一邊畫上 3 等份的記號……

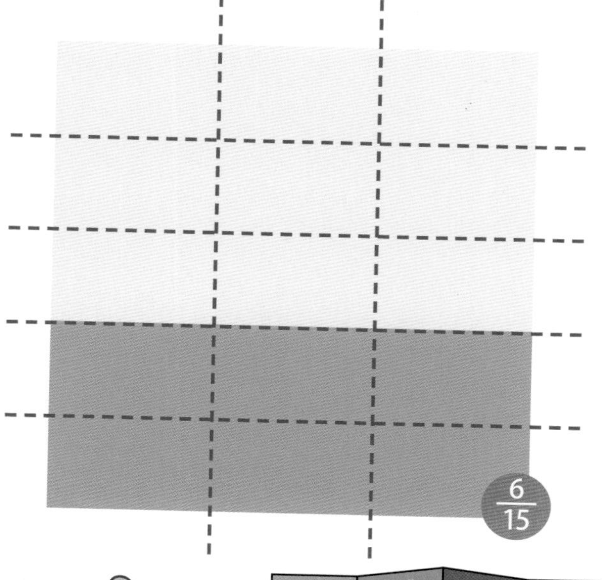

❸沿記號壓下摺痕，打開後，可見紙張變成 15 格，有顏色的佔 6 格；即分母變成 15，分子變成 6，証明$\frac{2}{5}$擴分 3 倍後是$\frac{6}{15}$！

約分是擴分的相反，所以將摺痕還原就是約分了！

分數除法的奧秘

計算分數除法時，一般會上下顛倒分子分母，把 ÷ 號變 × 號才計算。
例如 3÷ $\frac{1}{2}$變成 3× $\frac{2}{1}$，答案為 6。

我早就知道啦！但為甚麼要這樣做？

小兔子的問題，你也問過嗎？
這可用摺紙來解答，就以 3÷ $\frac{1}{2}$為例。

這條算式，其實可以理解成 **「在3當中有多少個$\frac{1}{2}$？」**

看看下圖的摺紙，就知道在 3 張紙中包含了 6 個$\frac{1}{2}$！

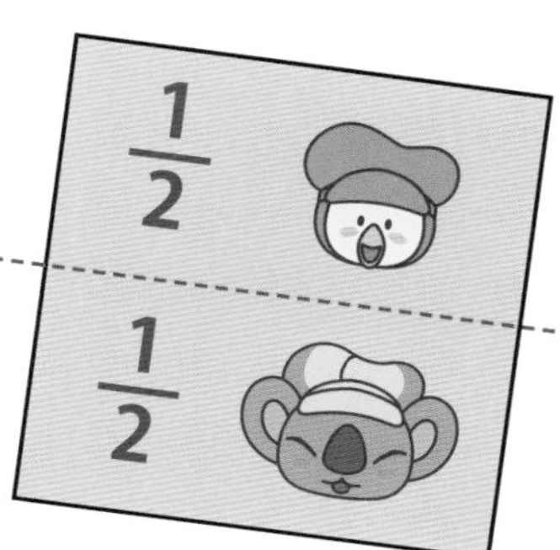

真的呢！先乘以分母、再除分子，就得出答案了！

你還可以用上頁的摺紙，自行擬定算式，驗証其他組合的分數除法啊！

DIY遊戲工程

分數遊戲卡

「分數遊戲卡」是一個讓你快樂地學習分數的紙牌遊戲，透過4個不同的玩法來學習分數算術、辨別分數的大小，以及了解「小時」和「分鐘」的關係，一起來玩吧！

材料

本書提供的紙樣

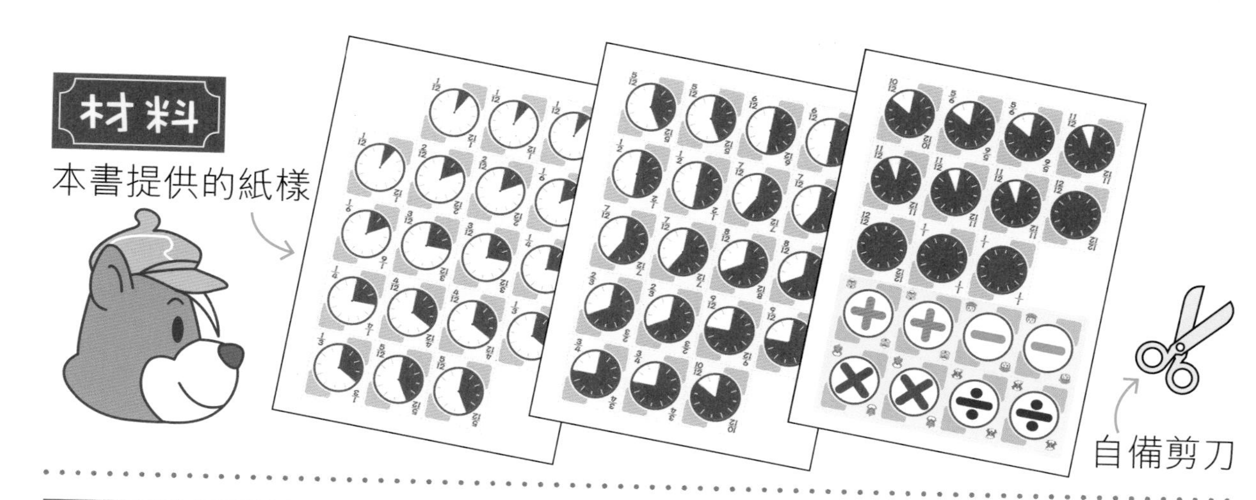

製作方法

製作時間：10 至 20 分鐘　難度：★☆☆☆☆

先剪下遊戲卡，這套遊戲卡共有 48 張分數卡及 8 張符號卡。

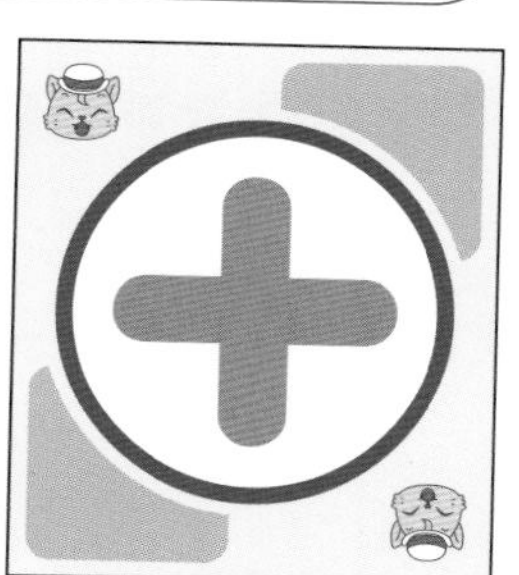

分數卡 × 48　符號卡 × 8

4 大有趣玩法

玩法一 算 1 高手 2 人玩

算出 1 就是高手！利用遊戲卡來計算，累積高分勝出吧！

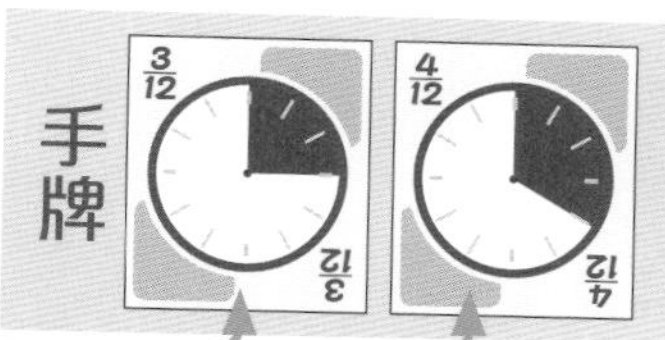

玩家 A

遊戲時，玩家不能看對方的牌！本示意圖全部打開，僅作說明用途。

玩家 B

基本牌

首先把 48 張分數卡底向上疊起，作為「底牌」。每人從底牌中取 2 張牌，稱為「手牌」。然後每人分派 4 張不同的符號卡。即是說，每人共有 6 張卡。

繼續後頁

如何得分

每回合中，每人用 2 張手牌及 1 張符號卡，列成可得最高分的算式，緊記先乘除後加減，計算答案。然後玩家一起核對答案，並取得積分。當中以計算出「1」為最高積分。

推想高分算式吧！

計分表

答案	（以 X 代表）		積分
等於 1	（X = 1）	→	4
小過 1，而大過或等於 $\frac{6}{12}$	$(1 > X \geqq \frac{6}{12})$	→	2
小過 $\frac{6}{12}$，而大過或等於 0	$(\frac{6}{12} > X \geqq 0)$	→	1
大過 1 或小於 0	（X > 1 或 X < 0）	→	0

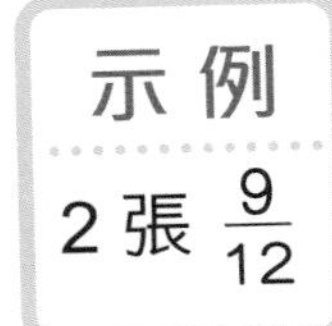

- 相除是 1，得 4 分。
- 相乘是 $\frac{9}{16}$，得 2 分。
- 相減是 0，得 1 分。
- 相加是 $1\frac{1}{2}$，得 0 分。

算不出 1 的時候……

你還可多抽 1 張底牌，另加 1 張符號卡計算答案。每人在各回合中，只限用這特權一次。

原有 $\frac{1}{6}$ 和 $\frac{11}{12}$ 各 1 張，計算不出 1。於是抽 1 張底牌，抽到 $\frac{6}{12}$。再去想想能否拿取高積分？

手牌重新組合！

先乘除後加減，計算 $\frac{11}{12} + \frac{1}{6} \times \frac{6}{12}$，得出 1。

同一回合不可重複使用符號卡

每人只有「＋」、「－」、「×」、「÷」符號卡各 1 張，不可重複使用。例如不會出現 $\frac{11}{12} - \frac{1}{6} - \frac{6}{12}$。

計出答案即按照計分表取得積分，然後開始新一回合。10回合之後，累積最高積分者獲勝。

玩法二 速算速決 2人玩

這是考驗分數算術速度的玩法，以搶答決勝負，大家可玩得緊張呢！

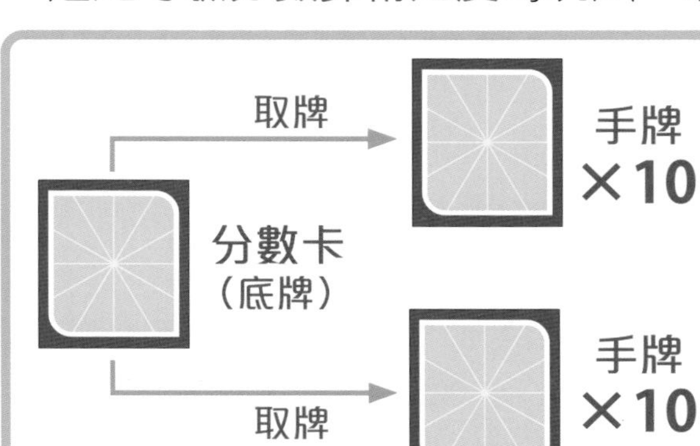

步驟1 遊戲開始前，先洗勻8張符號卡，底向上放在桌上。再洗勻48張分數卡，底向上放在大家面前作底牌，然後每人發10張手牌。

示例

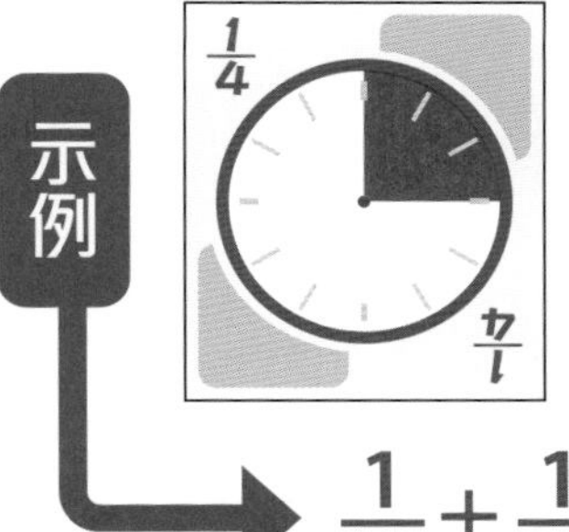

$\frac{1}{4}+\frac{1}{12}$

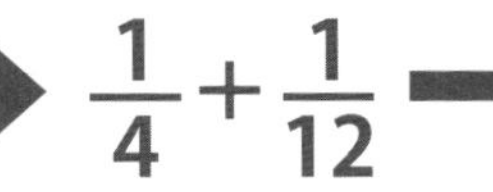

誰先講答案 $\frac{4}{12}$ 或 $\frac{1}{3}$ 就贏！

運算規則

緊記計算減法及除法時，要把大分數減去或除以小分數。例如：

$\frac{1}{4}-\frac{1}{12}$ ✔

$\frac{1}{12}-\frac{1}{4}$ ✘

$\frac{1}{4}\div\frac{1}{12}$ ✔

$\frac{1}{12}\div\frac{1}{4}$ ✘

步驟2 **遊戲開始！**

每人打開1張手牌。其中1人打開1張符號卡，然後鬥快計算，誰先說出正確答案就勝出該回合，可以取走2張牌。

步驟3 一回合結束後放回符號卡，然後洗勻，才開始另一回合。10個回合後，累積最多手牌的玩家就取勝！

注意要把大分數「減」或「除」小分數，答案都必然是「正數」，沒有「負數」啊！
在1971年前英鎊還未改為十進制時，一先令（Shilling）是等於12便士（Pence），所以當時常用12進制。

玩法三 眼明手快 2至4人人玩

考驗玩家辨別分數大小的速度及準繩，最快出完手牌者勝！

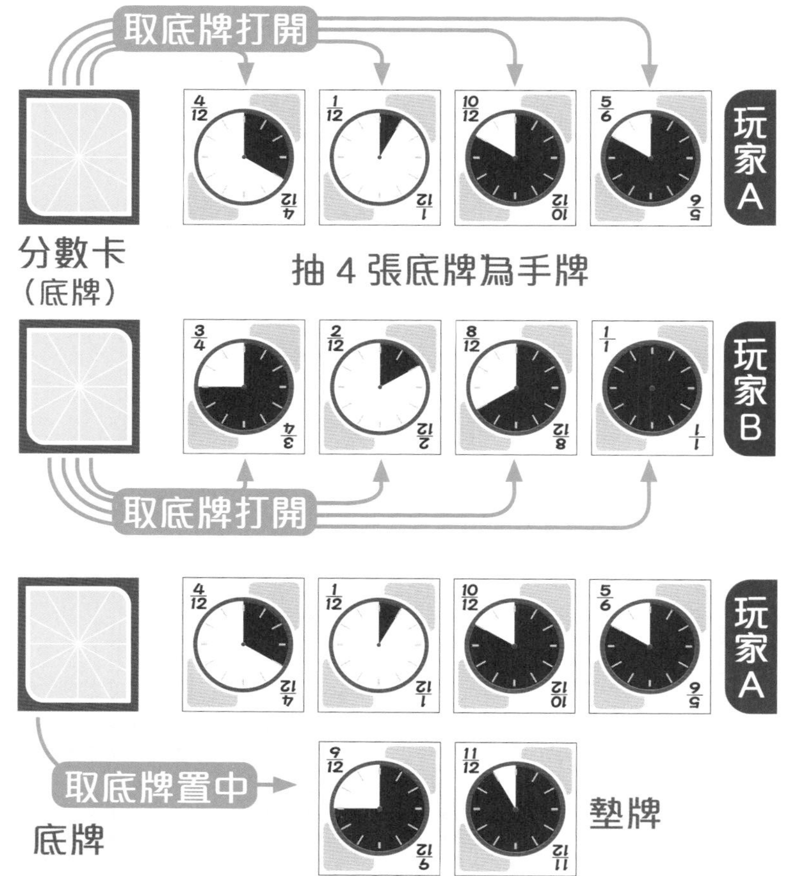

示例為2人對戰

步驟1 不用符號卡，洗牌後將48張分數卡平均分配，即每人24張由底向上疊起作「底牌」。

步驟2 各人從底牌中抽出4張作「手牌」，打開放在自己面前，也給所有人看到。

步驟3 各人再從底牌中抽出1張作「墊牌」，放在2人的手牌中間。
註：2人玩時，墊牌就會有2張；3人玩時有3張；4人玩時有4張，如此類推。

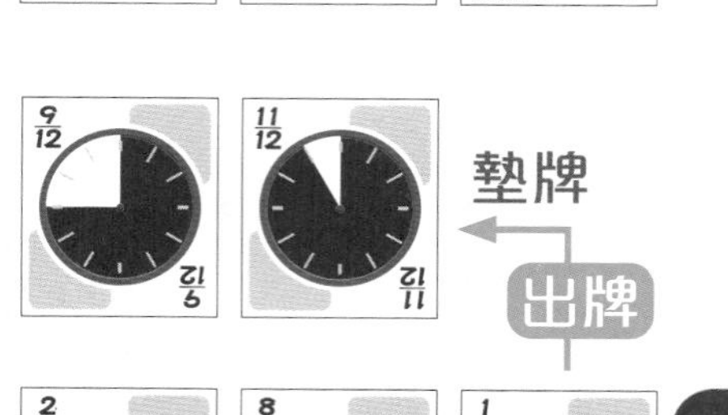

底牌

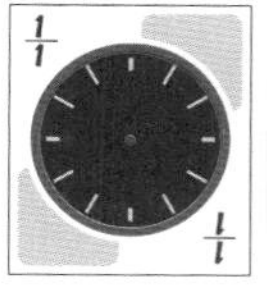

玩家B

步驟4 遊戲開始，大家鬥快將手牌放在任何1張墊牌上，而且可以不斷出牌，不過要按次序放上。

手牌擺放規律

◇◇手牌擺放規則◇◇

同分母的分數卡前後順序出牌

假設墊牌是 $\frac{1}{12}$，玩家可打出相鄰數值的牌，參考右圖，即 $\frac{12}{12}$ 或 $\frac{2}{12}$。如打出的是 $\frac{12}{12}$，玩者跟著可打 $\frac{11}{12}$ 或 $\frac{1}{12}$，如此類推。

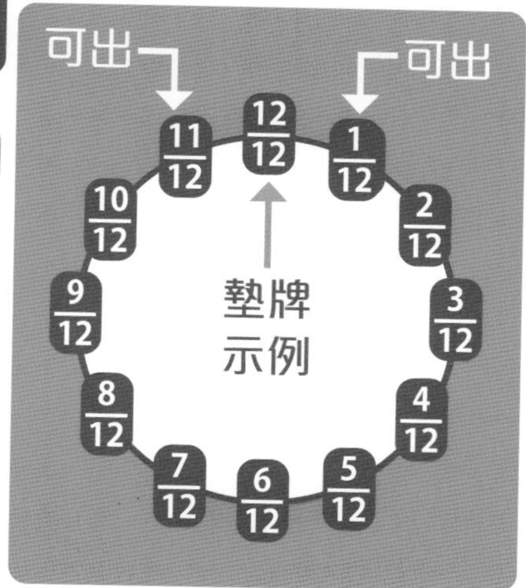

緊記要相鄰數值出牌，加值或減值都可以。

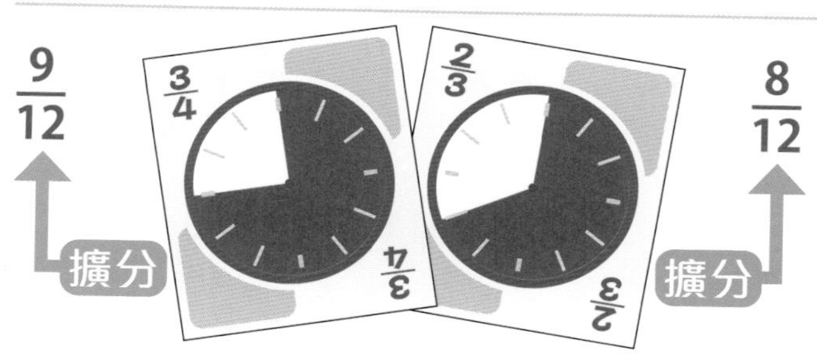

運用擴分‧亦可出牌！

承前例，有些分數卡要擴分，才能化成分母是 12 的分數。例如 $\frac{3}{4}$，其實等於 $\frac{9}{12}$，可以接着 $\frac{8}{12}$ 或 $\frac{10}{12}$ 打出！

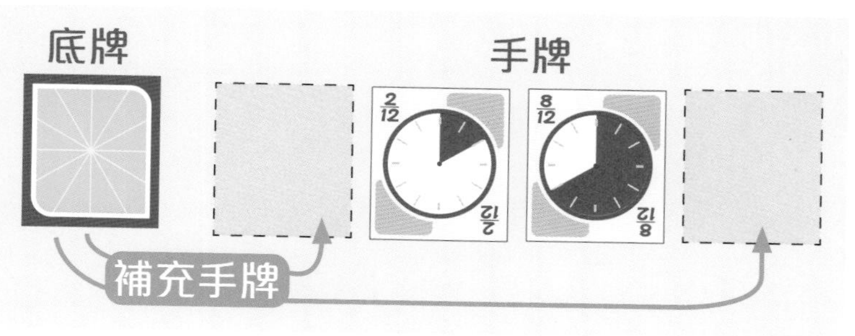

步驟5 每人最多手持 4 張手牌，在少於 4 張時，玩家可隨時從底牌中補牌。補牌速度快，能出牌的機會就更快！

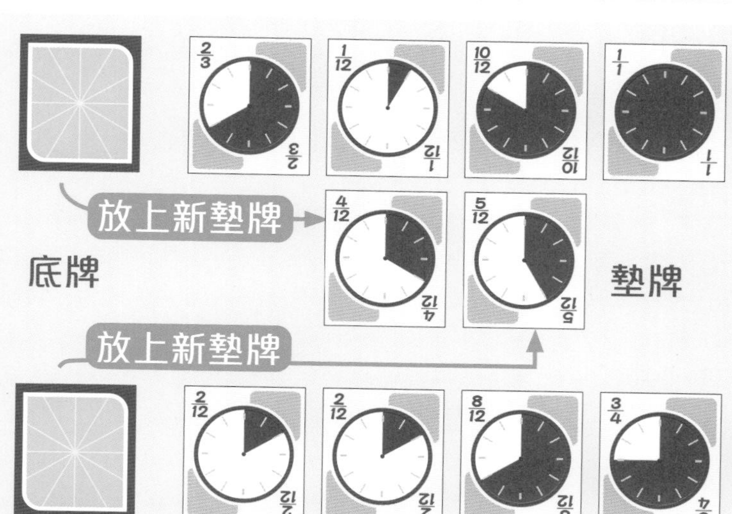

步驟6 當所有玩家也沒相鄰數值的手牌時，各人要取出 1 張底牌放在墊牌上，然後繼續出牌。

註：有時要放 2 至 3 張牌，直至有人能夠成功出牌為止。

WIN 最快把所有手牌出完的玩家，就是勝利者！

玩法

四 時間觀念 2人玩

此玩法跟「二·速算速決」類似，大家可從分數中學習「小時」與「分鐘」的關係，這也是一個考計算速度的刺激遊戲！

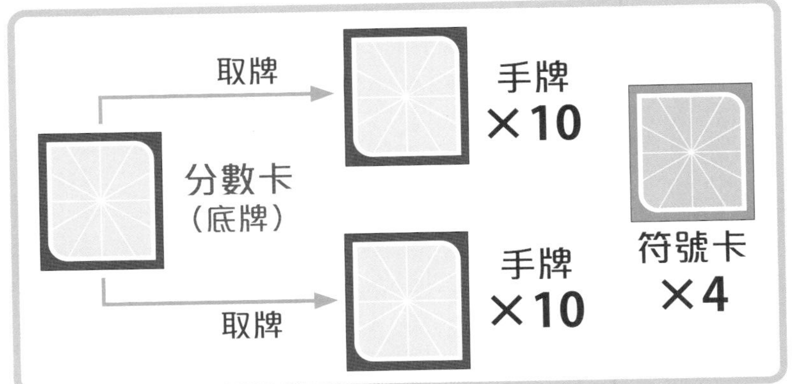

只用「＋」與「－」符號卡，分數卡則以「小時」為單位。例如分數卡$\frac{1}{2}$會看作$\frac{1}{2}$小時。遊戲開始前，先洗勻符號卡，底向上放疊起。然後每人發 10 張手牌，底向上疊在自己面前。

遊戲開始！每人打開 1 張手牌，其中 1 人打開 1 張符號卡，然後鬥快計算，誰先說出以分鐘為單位的答案，就可以取走兩張分數卡，結束該回合。

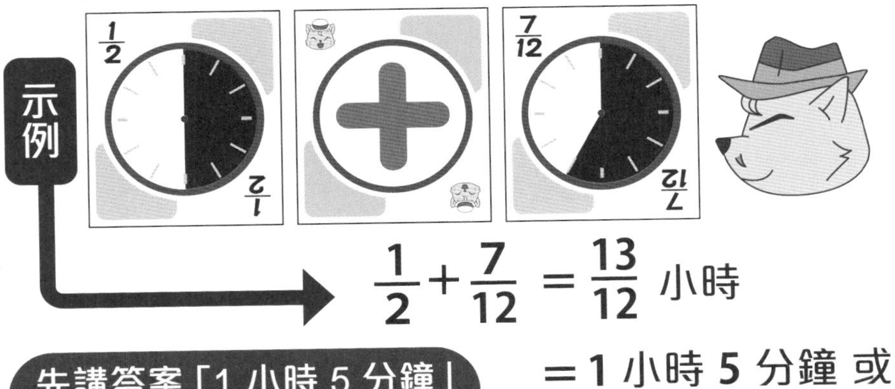

$$\frac{1}{2}+\frac{7}{12}=\frac{13}{12}\text{ 小時}$$

＝1 小時 5 分鐘 或

＝65 分鐘

先講答案「1 小時 5 分鐘」或「65 分鐘」就贏！

運算規則 跟「速算速決」一樣，計算減法時規定大分數「減」小分數。

步驟3 一回合結束後放回符號卡，再把所有符號卡洗勻，才開始另一回合。10 個回合後，累積最多手牌的玩家，就是最終勝利者。

大家可舉一反三，自創更多的玩法喔！

換算表

小時	分鐘
$\frac{1}{12}$	5
$\frac{2}{12}$ 或 $\frac{1}{6}$	10
$\frac{3}{12}$ 或 $\frac{1}{4}$	15
$\frac{4}{12}$ 或 $\frac{1}{3}$	20
$\frac{5}{12}$	25
$\frac{6}{12}$ 或 $\frac{1}{2}$	30
$\frac{7}{12}$	35
$\frac{8}{12}$ 或 $\frac{2}{3}$	40
$\frac{9}{12}$ 或 $\frac{3}{4}$	45
$\frac{10}{12}$ 或 $\frac{5}{6}$	50
$\frac{11}{12}$	55
$\frac{12}{12}$ 或 $\frac{1}{1}$	60

分數卡

$\frac{1}{12}$ $\frac{1}{12}$ $\frac{1}{12}$

$\frac{1}{12}$ $\frac{2}{12}$ $\frac{2}{12}$ $\frac{1}{6}$

$\frac{1}{6}$ $\frac{3}{12}$ $\frac{3}{12}$ $\frac{1}{4}$

$\frac{1}{4}$ $\frac{4}{12}$ $\frac{4}{12}$ $\frac{1}{3}$

$\frac{1}{3}$ $\frac{5}{12}$ $\frac{5}{12}$

請沿虛線剪下

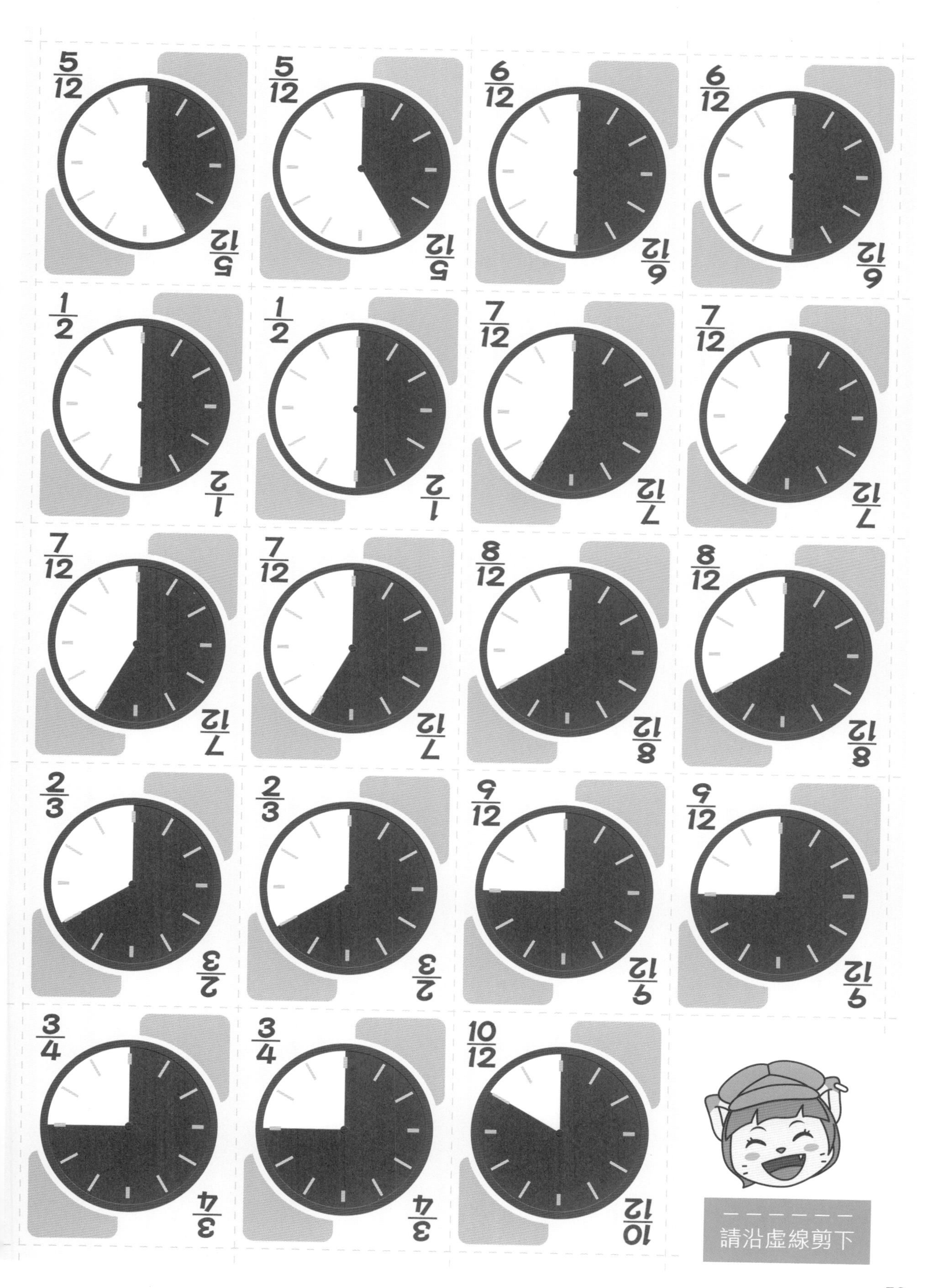
5/12
5/12
6/12
6/12
1/2
1/2
7/12
7/12
7/12
7/12
8/12
8/12
2/3
2/3
9/12
9/12
3/4
3/4
10/12
請沿虛線剪下

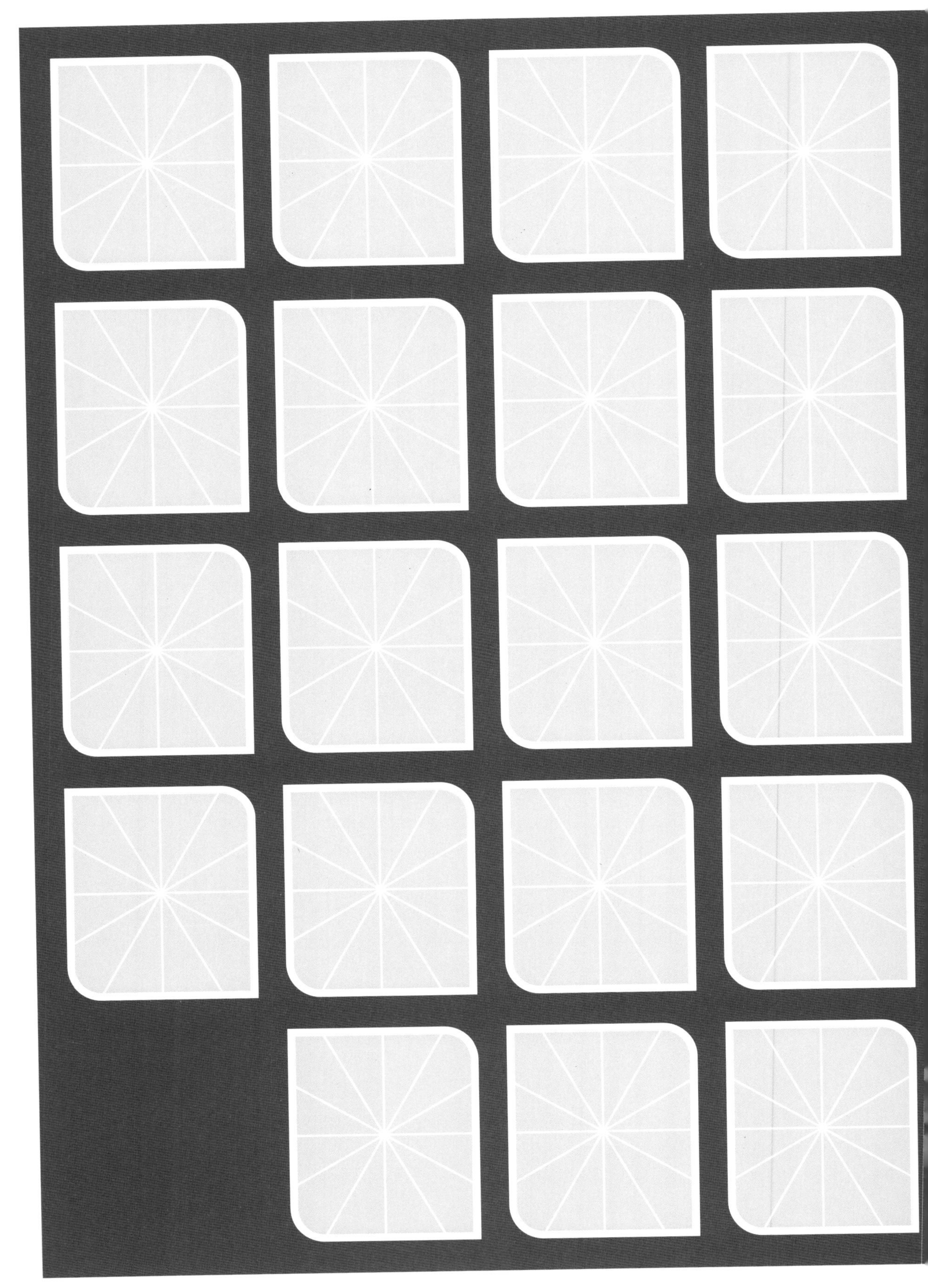

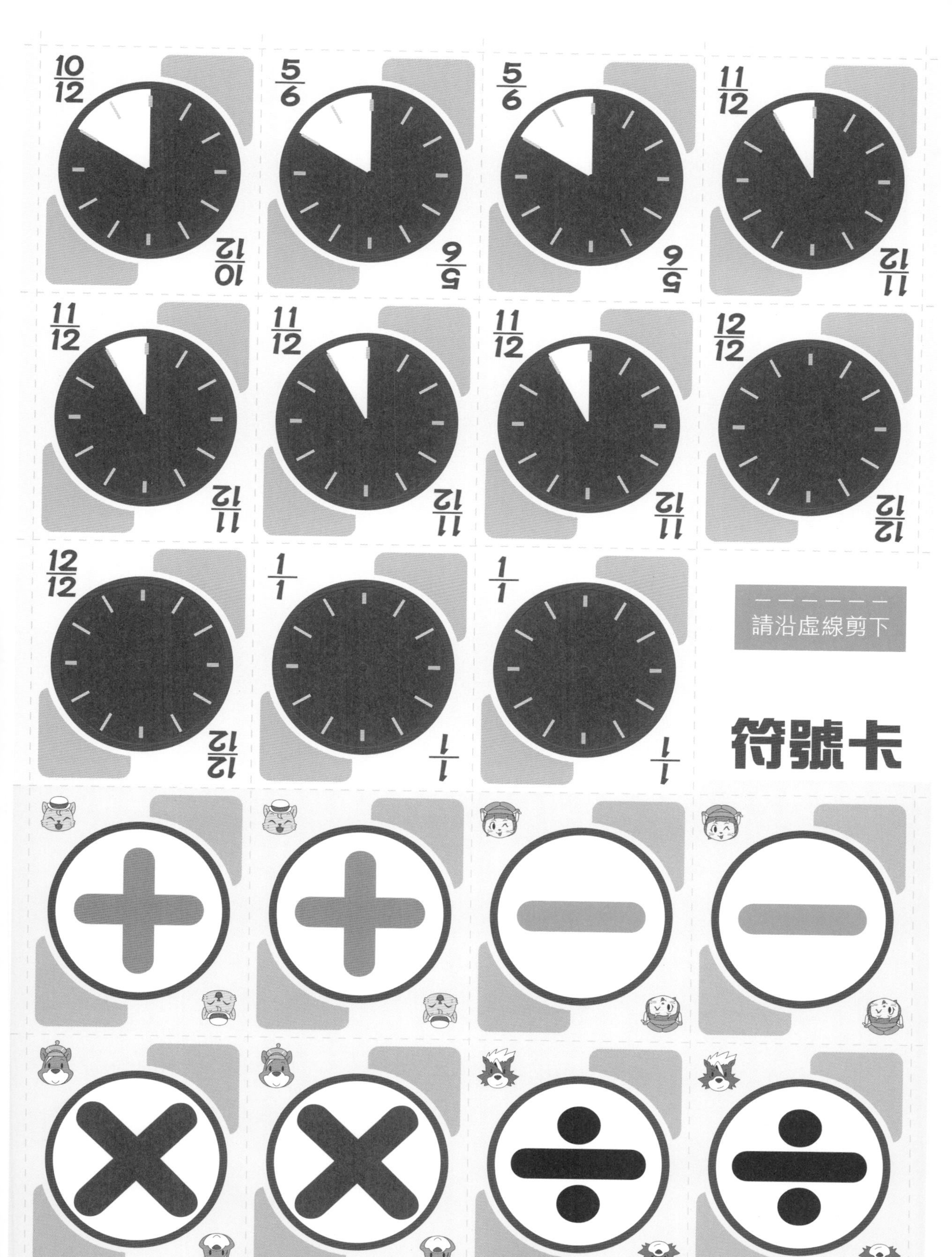
10/12
5/6
5/6
11/12
11/12
11/12
11/12
12/12
12/12
1/1
1/1
請沿虛線剪下
符號卡

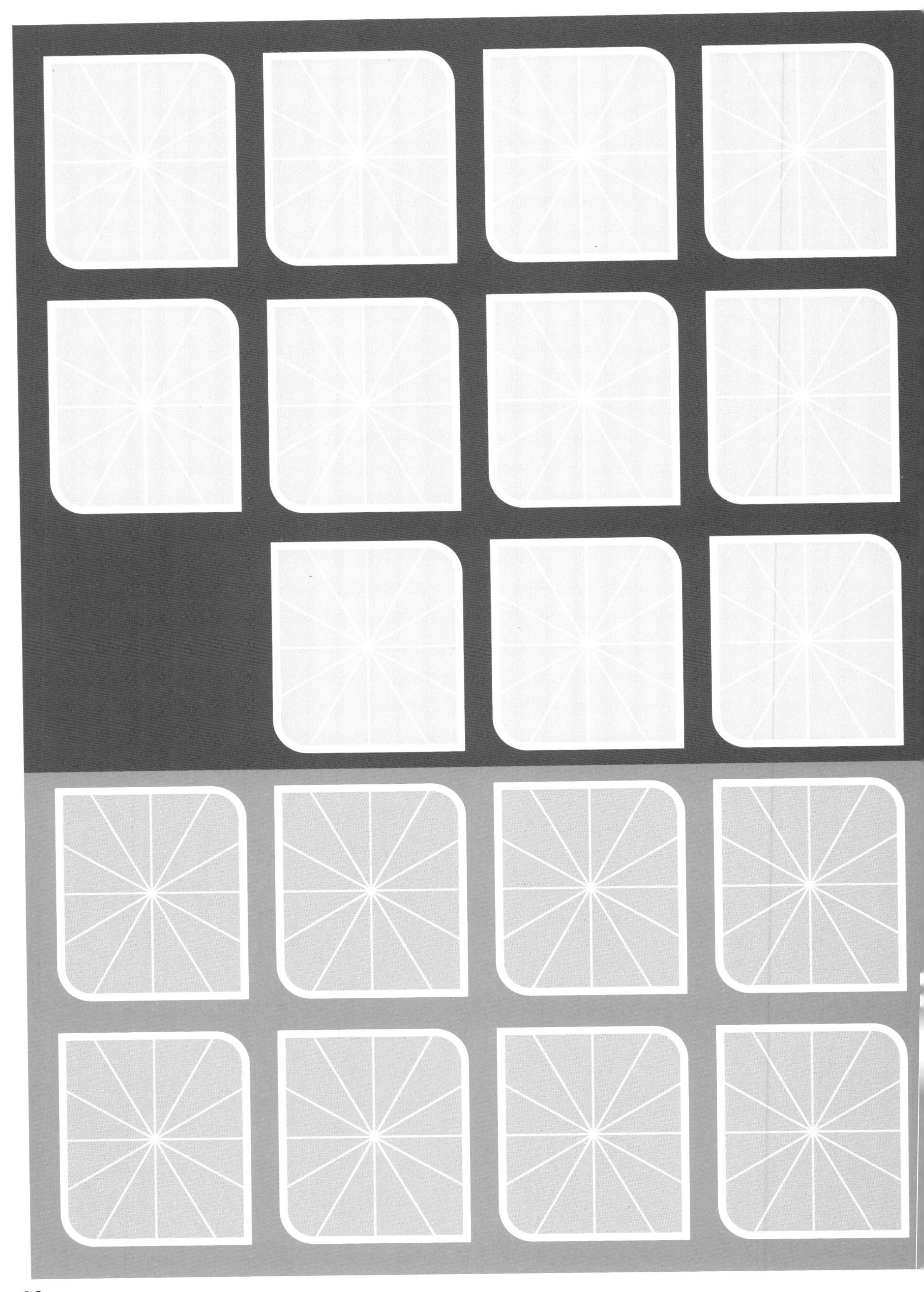

擲幣得來的數學理論

小凌
小進的同學及好朋友。

Pierre de Fermat
（1601-1665）
法國數學家
發明概率論
叮叮
來自數學世界的小精靈，擁有進入書本世界的異能。

＊費瑪：亦有人稱作費馬、費爾瑪。

小進，你在做甚麼啊？
我在製作雨天娃娃！
為甚麼啊？

小學四年級，求知欲強，卻經常撞板。
16 2 14 8 15 13 5 11 6 3 12 4 9 1 10 7

漫畫：姜智傑　劇本：匯識教育創作組

聽説把雨天娃娃掛在窗前，
第二天就會下雨，
那麼我就不用參加明天的
運動會了！

運動有益身心，
為甚麼不想
參加呢？
我還未做完
數學功課，
明天要專心
「研究數學」！

自古以來的數學家
也是這樣的，
不會一心二用啊！
藉口！

雖然古代很多數學家
也專心研究數學，
但也有像費瑪般，
身兼多職的。
他的正職是律師，
也是議會議員和
數學家，還精通
多國語言呢！

他好像很厲害呢！
我們去探訪他吧！
好吧！看着
這本書！

啊啊啊！

哈！
啊！

怎麼又來到 * 巴斯卡的家啊？不是去找費瑪嗎？
別焦急。

又是你們嗎？很久不見了！
你好！

我約了我爸爸的朋友費瑪到咖啡室見面，你們要一起來嗎？
費瑪？原來你認識他！

* 為何小進認得巴斯卡的家？請看《提升數學能力讀本：加減乘除之卷》

COFFEE

你好啊！很久不見了！
你好！

他們是我的朋友。
幸會！

你在書信中說有一些數學問題和我討論，是甚麼呢？
書信？

費瑪雖然是一位律師，但他會定期和不同的學數家通信，討論數學問題呢！

是這樣的，最近有些人向我提出了一個問題，我怎樣也想不透。

假設兩個人在賭博，
每人出一半賭金，
勝出者就能獨得獎金，
但賭局突然中斷，
那賭金該如何處理呢？

勝負還未分出，
如用當時的比數
去決定誰是勝利者，
就會不公平了！

那麼就應該
把賭金平分
給二人！

但如果
把賭金平分
的話，
就會失去了
以賭博分勝負
的意義！

唔……

你們試試看
不就可以了嗎？

對啊！
我們試試兩人
賭博時，每個人
勝利的機會吧！

好！
就以擲錢幣
來定勝負，
擲出「數字」
我就得 1 分，
擲出「人頭」
就是你得分。

我們每人拿出 50 法郎，
最快得到 10 分的
就能拿走全部 100 法郎。
50F
50F

你們用擲錢幣來
討論數學問題，
有點兒戲呢。
你先
不要吵！

為了公平起見，
你可以幫我們
擲錢幣嗎？
好啊！

巴斯卡
得 1 分！

10
分鐘後

費瑪
得 1 分！

比數是 8 比 7，
費瑪領先。
巴斯卡
費瑪
7
8

費瑪先生，我們剛收到
留給你的口訊，
你有一位朋友病倒了，
請你快些去探望他。
8

對不起，巴斯卡！
我們下次再繼續
今天的討論吧！
再見！

費瑪走了，
那賭局
怎麼辦呢？
我們去半年後
費瑪的住所
看看吧！

咻—

費瑪，你好啊！
你在寫信嗎？
對！那次會面以後，
我和巴斯卡一直保持聯絡，
但我們都不知道該
如何分配那些賭金呢！

當時的比數
是 8 比 7，
我勝出的機會
比較大。

那算你贏
可以嗎？
但如果之後擲 3 次錢幣，
都擲到人頭圖案，就會是
巴斯卡勝出啊！

那只好再約
巴斯卡出來了。
啊！

我想到
辦法了！
是甚麼
辦法啊？

錢幣只有兩面，
一面是
人頭圖案，
一面是數字，
擲出其中一面
的機會是$\frac{1}{2}$。

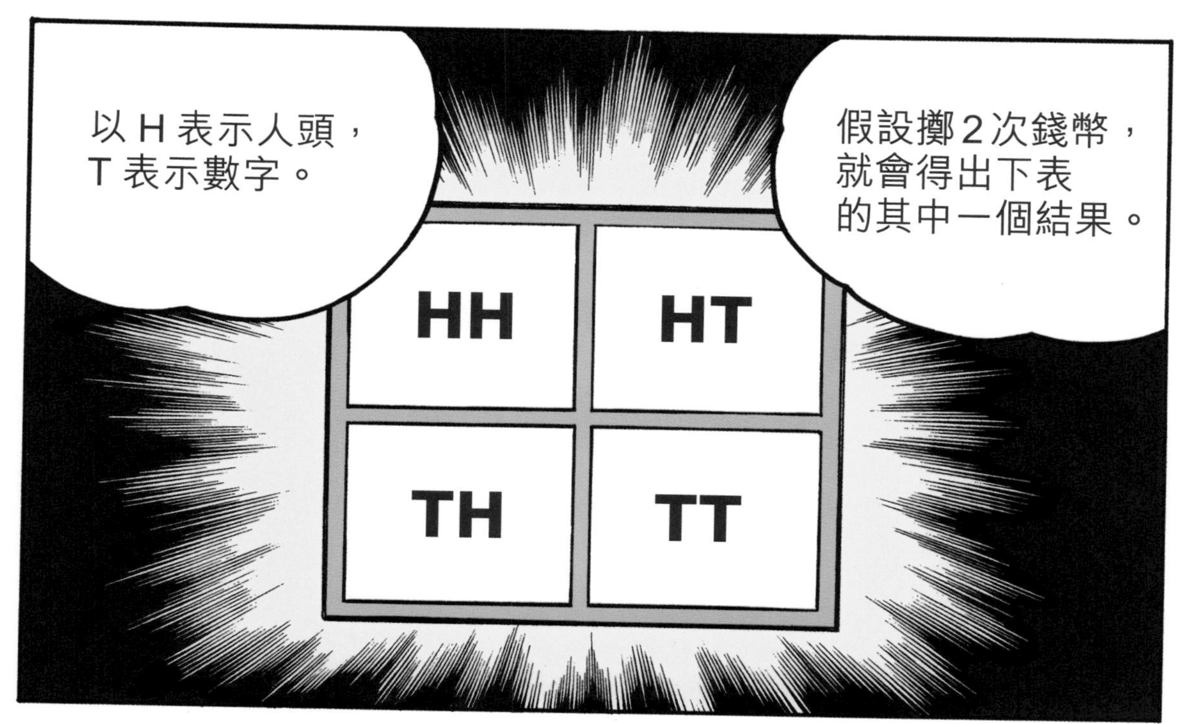
以 H 表示人頭，
T 表示數字。
假設擲 2 次錢幣，
就會得出下表
的其中一個結果。
HH
HT
TH
TT

只要我多取 2 分，
或巴斯卡多取 3 分，
就能勝出。
WIN
WIN
因此，
只要多擲 4 次錢幣，
就能分出勝負。

對啊！
但那又有甚麼
特別呢？

擲 4 次錢幣會得出
以下 16 個結果
的其中一個。
深色格代表
有 2 個 T 或以上，
即有 2 次或以上擲出數字，
總共有 11 格。
HHHH HHHT HHTH HHTT
HTHH HTHT HTTH HTTT
TTTT TTTH TTHT TTHH
THTT THTH THHT THHH
淺色格代表
有 3 個 H 或以上，
即有 3 次或以上擲出人頭，
總共有 5 格。

因此，
我勝出的機會
是$\frac{11}{16}$。
巴斯卡勝出
的機會是$\frac{5}{16}$。
$\frac{11}{16}$
$\frac{5}{16}$

真的呢！
這就能知道
你們各自勝出
的機會率了！

知道你們勝出
的機會率，那賭金
該如何分配呢？
賭金共有 100 法郎。
50F

可按照我倆勝出機會率的比例分配賭金，
即我得 100×$\frac{11}{16}$=68.75 法郎，
巴斯卡得 100×$\frac{5}{16}$=31.25 法郎。
100×$\frac{11}{16}$
=68.75
100×$\frac{5}{16}$
=31.25

這樣分配
很合理呢！
我要寫信
告訴巴斯卡
這個結論！

小進的家

費瑪真是一個
博學多才的人呢！
既是律師，
又是一位數學家。
對啊！

雖然費瑪 30 歲
才開始研究數學，
但由他發現的
數學理論比一些
數學家還要多呢！

所以，小進你不應
只顧着做功課，
應該多發展其他方面
的興趣！

小進，
你在做甚麼啊？

我在計算
明天下雨的機會率！
嘻嘻！

…

本集完

數學小知識

費瑪的概率論

費瑪用右表列出擲4次錢幣的結果，這個表是如何得出的呢？

HHHH	HHHT	HHTH	HHTT
HTHH	HTHT	HTTH	HTTT
TTTT	TTTH	TTHT	TTHH
THTT	THTH	THHT	THHH

由左至右看下面的**概率樹狀圖**，就能得出上表的 16 個結果。

在概率論（Probability theory）中，擲 1 次錢幣稱為「單一事件」，擲 2 次或以上稱為「複合事件」，概率樹狀圖用於計算複合事件的概率。

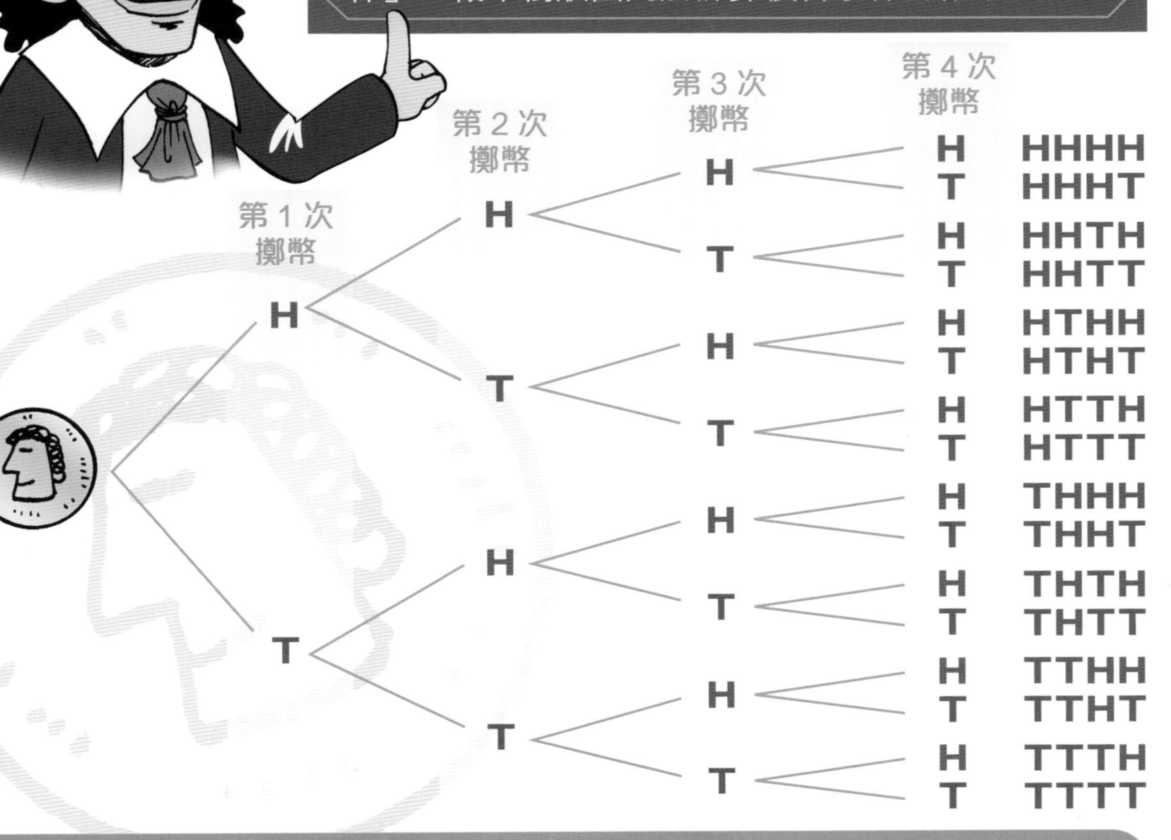

費瑪根據「概率樹狀圖」知道擲 4 次錢幣共有 16 個可能結果，每個結果出現的機會均等，所以每個結果出現的概率為 $\frac{1}{16}$。

分數和小數

速算大全

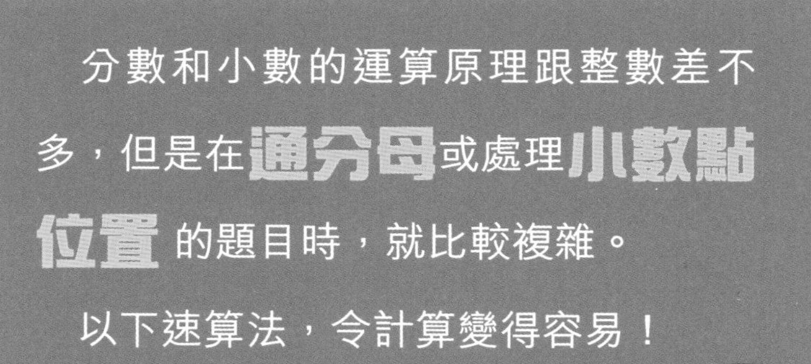

分數和小數的運算原理跟整數差不
多，但是在通分母或處理小數點
位置的題目時，就比較複雜。
以下速算法，令計算變得容易！

分數

面對分數三大難關：**通分母**、**比較分數大小**及**分數運算**，計算耗時、又容易出錯。以下分數速算法，不但可提升計算速度，更能減少運算上的錯誤！

分數速算法 1 整除驗證法

用途：約簡分數。要約簡，先要找出兩數的最大公因數，才能整除，而 2 至 9 是較常見的因數，以下教你快速分辨數目**能否被 2 至 9 整除**！

2

只要是偶數，就能被 2 整除，例如 2768、4386894 等。

3

把數目中所有數字相加，如答案是 3 的倍數，
該數目就能被 3 整除。

$$2 + 8 + 5 = 15$$

例如 285，2、8 和 5 相加為 15，是 3 的倍數，所以 285 能被 3 整除。

4

只要數目中最後的 2 位數是 4 的倍數，就能被 4 整除。

387**16**

例如 38716，最後 2 位數是 16，是 4 的倍數，所以 38716 能被 4 整除。

5

一個數目的個位是 5 或 0，
就能被 5 整除。
例如 2845、634820 等。

5 的驗証法最簡單！

6

由於 6 是 2 和 3 的積，只要數目是偶數，所有數字相加後又是 3 的倍數時，該數目就能被 6 整除。
※ 即同時使用上頁的 **2 和 3 的驗証法**！

282

例如 282 是偶數，可被 2 整除。

$$2 + 8 + 2 = 12$$

2、8 和 2 相加為 12，是 3 的倍數，所以 282 能被 3 整除。

282 同時能被 2 和 3 整除，所以它也能被 6 整除。

7

當數目是 4 位數或更大，在千位和百位中間加一條分隔線，分成前後兩組數，彼此的差是 7 的倍數或等如 0，該數目就可被 7 整除。

100 ¦ 856

$$856 - 100 = 756$$

例如 100856，加上分隔線後得出 100 和 856 兩組數，兩數的差為 756，是 7 的倍數。
因此，100856 能被 7 整除。

8

只要數目中最後的 3 位數是 8 的倍數，就能被 8 整除。

6**160**

例如 6160，最後的 3 位數是 160，是 8 的倍數，所以 6160 能被 8 整除。

9

將數目中的所有數字相加，如答案是 9 的倍數，該數目就能被 9 整除。

$$4+1+4=9$$

例如 414，4、1 和 4 相加為 9，是 9 的倍數，所以 414 能被 9 整除。

另外，當數目中所有數字相加的總和，被 9 除餘數是多少，該數目被 9 除也餘多少。

$$3+8+2=13$$

例如 382，3、8 和 2 相加得 13，被 9 除餘數為4，因此，382÷9，餘數是4。

除了上述的 2 至 9，也有驗證法快速分辨 11 的倍數！

11

一個數目中，由個位開始數起的「偶位數」數字之和，與「奇位數」數字之和，相減得 0 或 11，該數目就是 11 的倍數。

4 1 2 5

6　6

例如 4125，「偶位數」數字 2 和 4 相加得 6，「奇位數」數字 1 和 5 相加也是 6，差為 0。因此，4125 是 11 的倍數。

7 1 6 1

13　2

又例如 7161，「偶位數」數字 6 和 7 相加得 13，「奇位數」數字 1 和 1 相加是 2，差為 11。因此，7161 是 11 的倍數。

以下有一個分數乘法的例子，我們嘗試用整除驗證法，找出數目的最大公因數來約簡，然後計算答案吧！

$$\frac{61}{104} \times \frac{91}{122}$$

在此題中，122 是 61 的 2 倍，可以立即約簡，104 和 91 則要先找出最大公因數。

104 的因數有…

利用速算法，可知 10 以內的因數有 1、2、4 和 8。再把 104 除以這些因數，可找出餘下的因數是 13、26、52 和 104。

運用「整除驗證法」速算！

91 的因數有…

利用速算法，可知 10 以內的因數有 1 和 7。再把 91 除以這些因數，可找出餘下的因數是 13 和 91。

運用「整除驗證法」速算！

成功找出 104 和 91 的最大公因數是 13

回到算式 $\frac{61}{104} \times \frac{91}{122}$，現在可以用 13 約簡了！最後得出答案 $\frac{7}{16}$。

$$\frac{61}{104} \times \frac{91}{122} = \frac{\cancel{61}^{\,1}}{{}_{8}\cancel{104}} \times \frac{\cancel{91}^{\,7}}{\cancel{122}_{\,2}}$$

$$= \frac{1}{8} \times \frac{7}{2}$$

$$= \frac{7}{16}$$

分數速算法 2 交差相乘比較法

用途：比較分數大小。將要比較之分數的分子和分母交差相乘。適用於所有分數。

例子：比較 $\frac{7}{13}$ 和 $\frac{5}{9}$。

先計算 7×9 和 5×13，得出 7×9 = 63，5×13 = 65，63 比 65 小。

注意分子，當分子與另一個分數的分母相乘，答案較小，該分子所在的分數就較小。

因此，$\frac{7}{13}$ 比 $\frac{5}{9}$ 小。

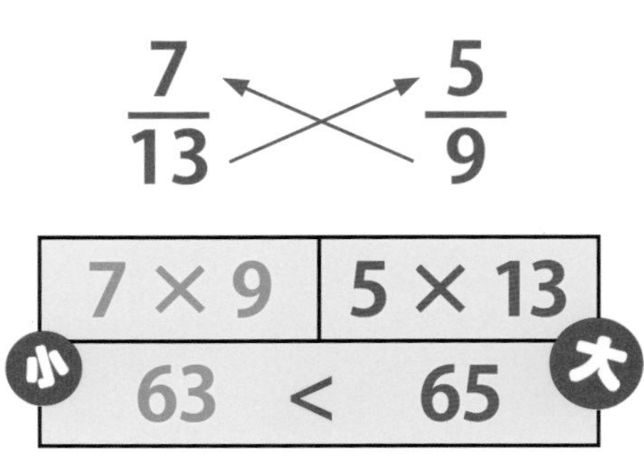

分數速算法3 同分子異分母・加數速算法

適用情況：當分數相加，而分子相同，分母不同時。例子如下：

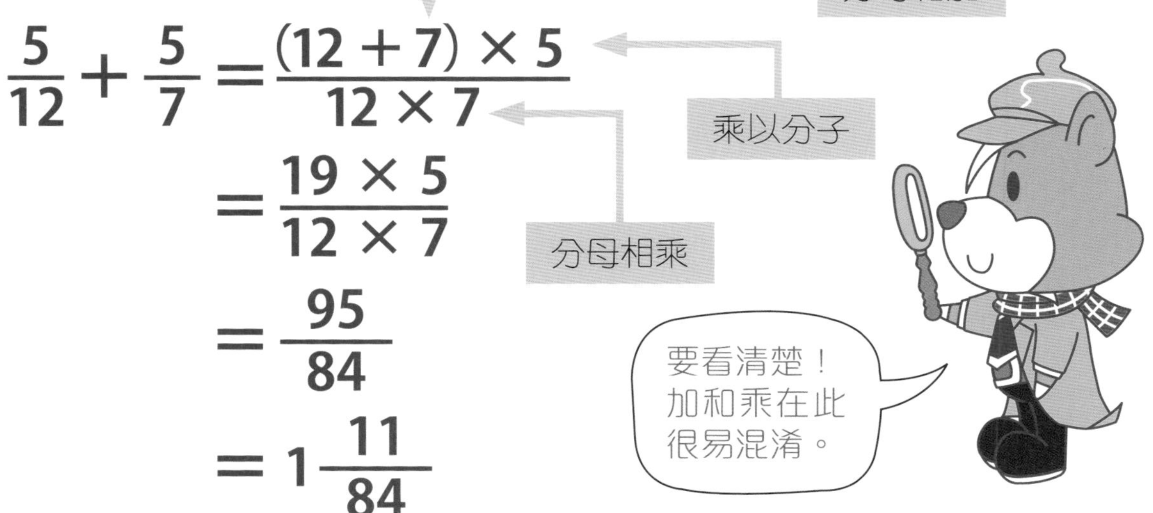

$$\frac{5}{12}+\frac{5}{7}=\frac{(12+7)\times 5}{12\times 7}=\frac{19\times 5}{12\times 7}=\frac{95}{84}=1\frac{11}{84}$$

當加法算式的分子同為1，而分母不同時，亦可用上述方法計算，但不用乘以分子。例子如下：

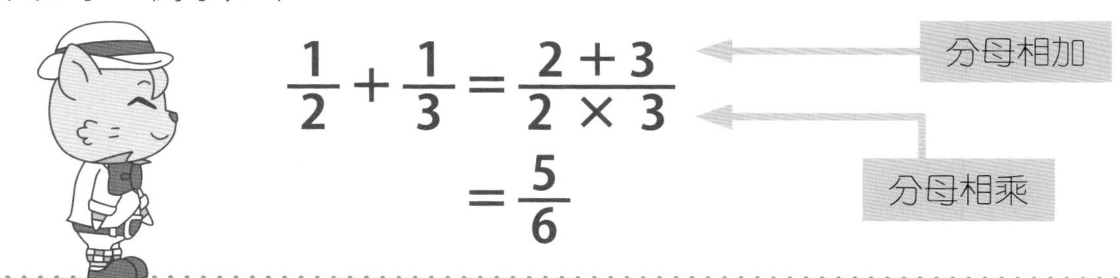

$$\frac{1}{2}+\frac{1}{3}=\frac{2+3}{2\times 3}=\frac{5}{6}$$

分數速算法4 同分子異分母・減數速算法

適用情況：當分數相減，而分子相同，分母不同時。例子如下：

減數的分母
減
被減數的分母

乘以分子

分母相乘

$$\frac{2}{13}-\frac{2}{17}=\frac{(17-13)\times 2}{13\times 17}=\frac{4\times 2}{13\times 17}=\frac{8}{221}$$

當減法算式的分子同為 1，而分母不同時，亦可用上述方法計算，但不用乘以分子。例子如下：

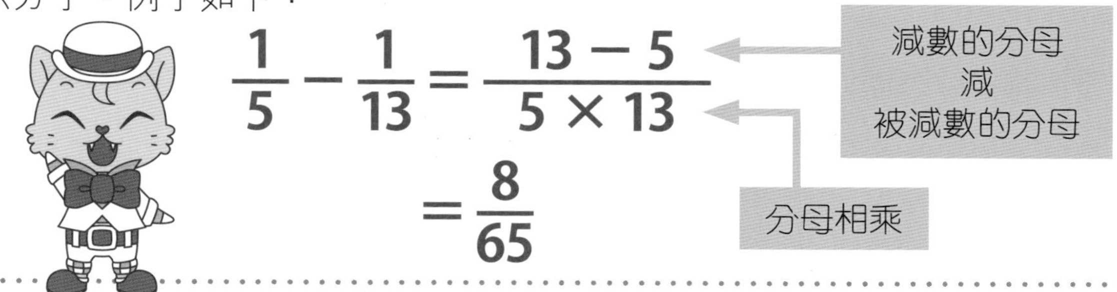

$\frac{1}{5}-\frac{1}{13}=\frac{13-5}{5\times 13}$
$=\frac{8}{65}$
減數的分母
減
被減數的分母
分母相乘

分數速算法 5 分子比分母小 1・減數速算法

適用情況：當兩個分數相減，而各自的分子也比分母少 1 時。例子如下：

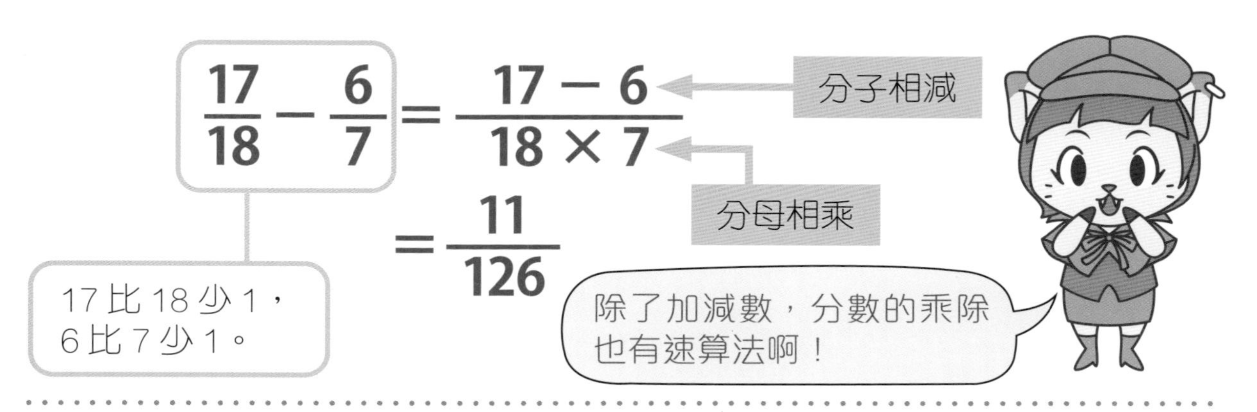

$\frac{17}{18}-\frac{6}{7}=\frac{17-6}{18\times 7}$
$=\frac{11}{126}$
分子相減
分母相乘
17 比 18 少 1，
6 比 7 少 1。
除了加減數，分數的乘除
也有速算法啊！

分數速算法 6 帶分數分拆・乘除速算法

適用情況：將帶分數乘（除）以整數時，如轉成假分數，很易出錯。利用此速算法，不用轉假分數，也能算出答案。

首先，將帶分數拆開，寫成整數和分數兩部份，再各自除（乘）以整數。

例子如右所示，先將帶分數寫成 $76+\frac{12}{19}$，各自除以 4，最後相加。

$$76\frac{12}{19}\div 4=(76+\frac{12}{19})\div 4$$
$$=76\div 4+\frac{12}{19}\div 4$$
$$=19+\frac{\overset{3}{\cancel{12}}}{19}\times\frac{1}{\underset{1}{\cancel{4}}}$$
$$=19\frac{3}{19}$$

還未完啊！後頁還有另一個應用例子。

適用情況：當帶分數的分子和分母的差很少，即分數部分接近整數時，亦可使用前頁的速算法，不用花時間轉成假分數。例子如下，將帶分數 $14\frac{82}{87}$ 寫成 $15-\frac{5}{87}$，再作運算：

$$14\frac{82}{87}\div 5=(15-\frac{5}{87})\div 5$$
$$=15\div 5-\frac{5}{87}\div 5$$
$$=3-\frac{\cancel{5}^{1}}{87}\times\frac{1}{\cancel{5}_{1}}$$
$$=2\frac{86}{87}$$

嘿！我早就知道這種方法了！

小數

最大難關在處理**小數點位置**，比整數計算更易出錯。以下分數速算法，不但可提升計算速度，更能減少運算上的錯誤！

小數速算法 1 小數分拆・乘除速算法

適用情況：當小數的值接近整數，可分拆成兩部分運算。例子如下，先把 49.9 寫成 50 － 0.1，兩邊各自乘 3，再相減，就更易得出答案。

$$49.9\times 3=(50-0.1)\times 3$$
$$=50\times 3-0.1\times 3$$
$$=150-0.3$$
$$=149.7$$

太好了！
不用處理令人頭痛的小數點進位！
同樣原理，除數也適用，而且除數的分拆法還多一種呢！快看看下頁例子吧！

前頁的「小數分拆法」亦適用於除法，並有以下 a b 兩種版本：

a 例如 26.8÷4，先把 26.8 寫成 26 ＋ 0.8，算式就變成（26 ＋ 0.8）÷4，再將括號拆開計算。

$$
\begin{aligned}
& 26.8 \div 4 \\
= & (26 + 0.8) \div 4 \\
= & 26 \div 4 + 0.8 \div 4 \\
= & 6.5 + 0.2 \\
= & 6.7
\end{aligned}
$$

b 把小數拆成可被整除的數，例如 26.8 變成 28 － 1.2，而 28 可被 4 整除，剩下來只是簡單的小數除法。

$$
\begin{aligned}
& 26.8 \div 4 \\
= & (28 - 1.2) \div 4 \\
= & 28 \div 4 - 1.2 \div 4 \\
= & 7 - 0.3 \\
= & 6.7
\end{aligned}
$$

小數速算法 2 整數速算法

適用情況：先處理能算出整數的部分。例如計算 1.25 ＋ 2.36 ＋ 3.75，先加頭尾兩個數 1.25 ＋ 3.75，得出 5，再加 2.36 能簡單得出答案 7.36。

$$
\begin{aligned}
& 1.25 + 2.36 + 3.75 \\
= & 1.25 + 3.75 + 2.36 \\
= & 5 + 2.36 \\
= & 7.36
\end{aligned}
$$

小心！必須連同數字前的運算符號一同調動！

又如以下例子，將－ 1.28 調前，變成先減（得出整數）最後才加。

$$
\begin{aligned}
& 3.28 + 1.79 - 1.28 \\
= & 3.28 - 1.28 + 1.79 \\
= & 2 + 1.79 \\
= & 3.79
\end{aligned}
$$

可自由移動數字和符號，真有趣！

下頁示範用這速算法做小數乘除。

上頁的速算法也適用於**小數乘除混算**！例子如下，先把 ÷0.3 後移，再寫成分數模樣，把 1.2 和 0.3 約簡後，得出整數 4。

$$
\begin{aligned}
2.5 \div 0.3 \times 1.2 &= 2.5 \times 1.2 \div 0.3 \\
&= \frac{2.5 \times \cancel{1.2}^{\,4}}{\cancel{0.3}} \\
&= 10
\end{aligned}
$$

又看看以下例子，可將 ×0.8 和 ÷0.6 的位置調轉，先處理 8.4÷0.6，得出整數 14，再做乘數 14×0.8 就相對簡單。

$$
\begin{aligned}
8.4 \times 0.8 \div 0.6 &= 8.4 \div 0.6 \times 0.8 \\
&= 14 \times 0.8 \\
&= 11.2
\end{aligned}
$$

小數速算法 3 小數化分數速算法

適用情況：小數相乘時，將其中一個小數拆開，化成分數約簡。

例子如下，可將 2.25 拆成 2 + 0.25，然後把 0.25 寫成 $\frac{1}{4}$ 再作約簡。

$$
\begin{aligned}
& 13.6 \times 2.25 \\
&= 13.6 \times (2 + 0.25) \\
&= 13.6 \times 2 + 13.6 \times 0.25 \\
&= 27.2 + \overset{3.4}{\cancel{13.6}} \times \frac{1}{\cancel{4}_{\,1}} \\
&= 27.2 + 3.4 \\
&= 30.6
\end{aligned}
$$

常用的小數化分數：

$0.1 \rightarrow \frac{1}{10}$　$0.25 \rightarrow \frac{1}{4}$　$0.5 \rightarrow \frac{1}{2}$　$0.75 \rightarrow \frac{3}{4}$

上頁的速算法也適用於**多位小數**！

例子如下，可將 2.375 的小數部分寫成 $\frac{3}{8}$ 再作約簡。

$$
\begin{aligned}
9.6 \times 2.375 &= 9.6 \times (2 + 0.375) \\
&= 9.6 \times 2 + 9.6 \times 0.375 \\
&= 19.2 + \overset{1.2}{\cancel{9.6}} \times \frac{3}{\cancel{8}_{1}} \\
&= 19.2 + 3.6 \\
&= 22.8
\end{aligned}
$$

上頁的速算法也適用於**除法**，但不分拆，而是化作**帶分數**及**假分數**！

例子如下，先將 3.75 變成 $3\frac{3}{4}$，再轉成假分數 $\frac{15}{4}$。

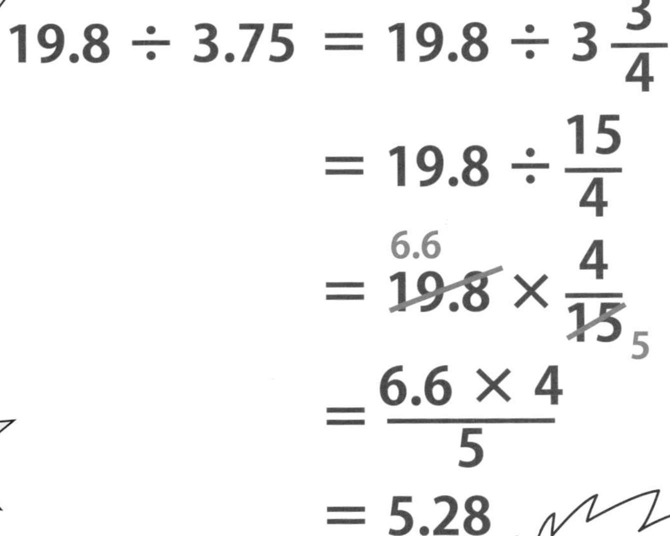

$$
\begin{aligned}
19.8 \div 3.75 &= 19.8 \div 3\frac{3}{4} \\
&= 19.8 \div \frac{15}{4} \\
&= \overset{6.6}{\cancel{19.8}} \times \frac{4}{\cancel{15}_{5}} \\
&= \frac{6.6 \times 4}{5} \\
&= 5.28
\end{aligned}
$$

各位，別來無恙吧？
任何參透本書的人，
都有資格接受我的挑
戰書……
翻到下頁吧！

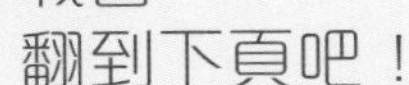

M博士向你下戰書
哼！就讓我看看你如何
應用分數、小數、百分數
基礎篇
M博士又來找我們麻煩了！別擔心，只要運用學校所教的知識和本書的速算法，M博士的題目自然迎刃而解！

請分別用分數、小數和百分數，表示深色部分在整個圖形中佔了多少。

草稿欄

1

分數：

小數：

百分數：

2

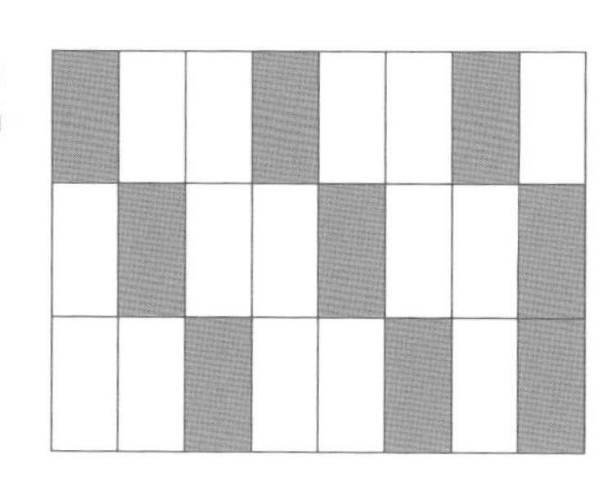

分數：

小數：

百分數：

3 小老鼠每次最遠可以跳$\frac{7}{9}$米，而小麻雀則可以跳$\frac{5}{7}$米，他們誰跳得比較遠呢？

答案：

4 愛麗絲班上共有30位同學，有女生18人，那麼男生佔全班多少百分比呢？

答案：

草稿欄

5 李大猩參加了三項鐵人耐力賽，他需要渡海 22.7 公里，踏單車 18.9 公里，然後跑步 17.3 公里，比賽的總路程是多少公里呢？

答案：

6 瘦皮猴獄卒放假時愛爬高樓。他爬上了一幢 86.26 米高的大廈，假設大廈每層高 2.27 米，該大廈共有多少層呢？

答案：

7 房東太太原有蜜糖 $2\frac{3}{5}$ 公升，華生又送了 $1\frac{3}{7}$ 公升給她，她現在有多少公升蜜糖呢？

答案：

8 狐格森每天吃 1 個蕃薯，蕃薯每個售 $3.8，假設本月有 31 天，他本月需花多少錢買蕃薯呢？

答案：

9 愛麗絲上學可乘搭巴士或地鐵兩種交通工具，巴士車程為 25 分鐘，而乘地鐵所花的時間比巴士少 40%，愛麗絲乘地鐵上學需花多少時間呢？

答案：

10 小兔子有 $8\frac{4}{5}$ 公斤麵粉，他和少年偵探隊一起做 16 個巨型蛋糕賣錢，每個蛋糕平均用多少公斤麵粉？

答案：

哼！就讓我看看你如何
應用分數、小數、百分數

幫幫李大猩吧！

第 1 題和第 2 題的算式中，本應各有一對括號，可惡的 M 博士居然把括號通通刷走了！
你能幫李大猩在正確位置**加上括號**嗎？

草稿欄

重溫《加減乘除之卷》
先乘除、後加減
注意！只有加減要從左到右計算。若果有括號，要先計算括號內的部分。

1 $18.7 - 2.2 + 1.81 + 5.4 = 20.09$

答案：

2 $\frac{1}{2} + \frac{3}{4} - \frac{3}{8} - \frac{1}{16} = \frac{15}{16}$

答案：

3 將 $\frac{13}{18}$ 轉化成以「**埃及分數**」相加的算式。

答案：

4 試用第 49 頁有關**分數除法**的摺紙解釋，計算 $3 \div \frac{1}{3}$，並在下圖的手工紙加上虛線以表示答案。

答案：

5 房東太太將收來的房租共 \$200000 存進銀行，銀行以複息制計算利息，利率為 4%，存款在幾年後增成 \$400000 呢？

答案：

6 服裝店大減價，全店貨品以「LESS 30%」的價格發售，史密斯小姐選了以下這條裙，她該付多少錢呢？

答案：

草稿欄

不同的中英文折扣表示

- 中文：七折指原價的70%，等同英文「LESS 30%」。
- 英文：「LESS 30%」代表「原價百分率」減去「減價百分率」，即100% − 30% = 70%，等同中文的「七折」。

＊「LESS 30%」亦可寫成「30% OFF」。

7 小兔子重 33.6 磅，愛麗絲比他重 4.5 磅，小麻雀又比愛麗絲輕 20.6 磅，小麻雀的體重是多少？

答案：

8 新年到了，小克買了一些新衣服，他買了 4 件襯衣和 5 頂帽子，他該付多少錢呢？

答案：

9 班尼每天花$\frac{1}{3}$時間睡覺，$\frac{1}{3}$時間上學，$\frac{1}{12}$時間吃飯，$\frac{1}{8}$時間溫習英文，$\frac{1}{12}$時間幫忙做家務，剩下的時間玩耍。請問他每天有多少時間玩耍？

答案：

10 愛麗絲每個月有 $300 零用錢，她用$\frac{1}{3}$來買零食，又用全部的 40% 來買衣服，她還餘下多少錢呢？

答案：

1 下列有一條古埃及數學算式，試根據第 35 頁的內容，計算出答案，並以阿拉伯數字寫出來。

答案：

2 將 $\frac{54}{99}$ 化成循環小數。

答案：

第 32 頁介紹過循環小數，提及分母是 9、99 及 999 時 的循環小數特徵，記得嗎？

3 華生將看診的報酬 $12000 存進銀行，如果該銀行用複息制，利率為 6%，4 年後存款大約會變成多少呢？（答案準確至整數）

答案：

4 狐格森到小食店買日式小丸子，6 顆售 $14.4，店主說便宜一點賣給狐格森，只需付 $24 就有 10 顆。店主所開的價格是否真的比原來便宜呢？

答案：

5 愛麗絲班上有 50 人，假設全班同學在同一年出生，該年為平年，有同學同月同日生的概率是多少？（請用百分數寫出答案）

答案：

6 以下是某牌子杏仁巧克力的資料，哪一款包裝的「單位價格」最便宜呢？

草稿欄

答案：

7 李大猩參加了幸運大抽獎，共有 60 人參與，大獎、二獎和三獎各 1 名，四獎 5 名，五獎 10 名，李大猩抽中任何一個獎的概率是多少？（請用小數寫出答案）

答案：

8 豆沙包每個 \$8.8，小兔子共花了 \$281.6 去買，然後把 $\frac{5}{16}$ 分了給小胖豬，小兔子還剩下多少個豆沙包呢？

答案：

9 海倫的家種了 400 朵花，當中有 30% 是玫瑰，而玫瑰當中有 80% 是紅玫瑰，紅玫瑰共有多少朵呢？

答案：

10 房東太太買了一個蛋糕，她吃了整個蛋糕的 $\frac{1}{3}$，愛麗絲吃了餘下蛋糕的 $\frac{3}{4}$，其餘的留給小兔子。小兔子吃了蛋糕的幾分之幾呢？

答案：

M博士向你下戰書 基礎篇

❶ 正方形被分為 16 格，深色的佔 3 格。
用分數來表示 $= \frac{3}{16}$
用小數來表示 $= 3 \div 16$
$= 0.1875$
用百分數來表示 $= \frac{3}{16} \times 100\%$
$= 18.75\%$

❷ 長方形被分為 24 格，深色的佔 9 格。
用分數來表示 $= \frac{9}{24}$ 或 $\frac{3}{8}$
用小數來表示 $= 9 \div 24$
$= 0.375$
用百分數來表示 $= \frac{9}{24} \times 100\%$
$= 37.5\%$

❸ 先將 $\frac{7}{9}$ 和 $\frac{5}{7}$ 通分母，9 和 7 的最小公倍數是 63，通分後變成：
$\frac{7}{9} = \frac{7 \times 7}{9 \times 7} = \frac{49}{63}$　　$\frac{5}{7} = \frac{5 \times 9}{7 \times 9} = \frac{45}{63}$
$\frac{49}{63}$ 比 $\frac{45}{63}$ 大，即 $\frac{7}{9}$ 比 $\frac{5}{7}$ 大。
因此，小老鼠比小麻雀跳得遠。

亦可用另一方法比較：
比較分數的大小時，**如分子和分母的差一樣，分母愈大，分數的值就越大**，例如 $\frac{8}{9} > \frac{7}{8} > \frac{6}{7} > \frac{5}{6}$。
在此題，要比較 $\frac{7}{9}$ 和 $\frac{5}{7}$，分子和分母的差是 2，所以 $\frac{7}{9}$ 比 $\frac{5}{7}$ 大。

❹ 在愛麗絲的班上，男生有 30 − 18 人，即 12 人。
男生所佔的百分比 $= \frac{12}{30} \times 100\%$
$= \frac{2}{5} \times 100\%$
$= 40\%$

❺ 鐵人耐力賽的總路程 $= 22.7 + 18.9 + 17.3$
$= 41.6 + 17.3$
$= 58.9$ 公里
也可以參考第 83 頁的**整數速算法**：
$22.7 + 18.9 + 17.3 = 22.7 + 17.3 + 18.9$
$= 40 + 18.9$
$= 58.9$

❻ 瘦皮猴爬的大廈層數 $= 86.26 \div 2.27$
$= 38$ 層

❼ 房東太太現有蜜糖 $= 2\frac{3}{5} + 1\frac{3}{7}$
通分後 $= 2\frac{21}{35} + 1\frac{15}{35}$
$= 3\frac{36}{35}$
$= 4\frac{1}{35}$ 公升

也可參考第 80 頁的同分子異分母加數速算法：
$2\frac{3}{5} + 1\frac{3}{7} = (2 + 1) + (\frac{3}{5} + \frac{3}{7})$
$= 3 + \frac{(5 + 7) \times 3}{5 \times 7}$
$= 3 + \frac{36}{35}$
$= 4\frac{1}{35}$

❽ 這個月用來買蕃薯的錢 $= 3.8 \times 31$
$= 117.8$

❾ 乘地鐵上學需時 $= 25 \times (1 - 40\%)$
$= 25 \times 60\%$
$= 25 \times \frac{60}{100}$
$= 15$ 分鐘

❿ 每個蛋糕平均用麵粉 $= 8\frac{4}{5} \div 16$
$= \frac{44}{5} \div 16$
$= \frac{\overset{11}{\cancel{44}}}{5} \times \frac{1}{\underset{4}{\cancel{16}}}$
$= \frac{11}{20}$ 公斤

M博士向你下戰書 進階篇

❶ $18.7 - (2.2 + 1.81) + 5.4 = 20.09$

❷ $\frac{1}{2} + \frac{3}{4} - (\frac{3}{8} - \frac{1}{16}) = \frac{15}{16}$

❸ $\frac{13}{18} = \frac{1}{2} + \frac{4}{18}$
$= \frac{1}{2} + \frac{1}{6} + \frac{1}{18}$

❹ $3 \div \frac{1}{3}$ 即要找出「在 3 裏包含多少個 $\frac{1}{3}$」，把每張紙分成 3 等份，可看出 3 裏包含 9 個 $\frac{1}{3}$。
因此，$3 \div \frac{1}{3}$ 的答案是 9。

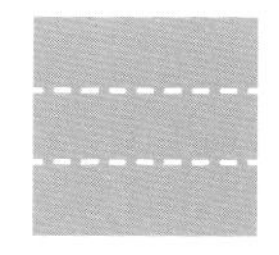  

❺ 存款變成 \$400000，即變成 2 倍，可代入第 41 頁的「72 法則」計算：
存款變成 \$400000 的時間 $= 72 \div 4$
$= 18$
因此，存款變成 \$400000 的時間大約是 18 年。

❻ LESS 30% 即價格減低 30%。
史密斯小姐該付金額 $= 250 \times (1 - 30\%)$
$= 250 \times 70\%$
$= \$175$

❼ 小麻雀的體重 $= 33.6 + 4.5 - 20.6$
$= 38.1 - 20.6$
$= 17.5$ 磅

也可參考第 83 頁的整數速算法：

$33.6 + 4.5 - 20.6 = 33.6 - 20.6 + 4.5$
$= 13 + 4.5$
$= 17.5$

❽ 小克該付金額 $= 99.9 \times 4 + 49.9 \times 5$
$= 399.6 + 249.5$
$= \$649.1$

也可參考第 82 頁的小數分拆乘除速算法：

$99.9 \times 4 + 49.9 \times 5$
$= (100 - 0.1) \times 4 + (50 - 0.1) \times 5$
$= 100 \times 4 - 0.1 \times 4 + 50 \times 5 - 0.1 \times 5$
$= 400 - 0.4 + 250 - 0.5$
$= 649.1$

❾ 班尼每天玩耍的時間

$= 1 - (\frac{1}{3} + \frac{1}{3} + \frac{1}{12} + \frac{1}{8} + \frac{1}{12})$
$= 1 - \frac{23}{24}$
$= \frac{1}{24}$

班尼每天用 $\frac{1}{24}$ 日（即 1 小時或 60 分鐘）玩耍。

❿ 愛麗絲的零用錢還餘下

$300 - 300 \times \frac{1}{3} - 300 \times 40\%$
$= 300 - 100 - 120$
$= \$80$

M 博士向你下戰書 挑戰篇

❶ 該埃及分數算式 $= \frac{1}{2} + \frac{1}{3} + \frac{1}{10}$
$= \frac{15}{30} + \frac{10}{30} + \frac{3}{30}$
$= \frac{14}{15}$

❷ $\frac{54}{99} = 0.545454545454545 \cdots$
$= 0.\dot{5}\dot{4}$

❸ 代入第 39 頁的算式：

4 年後的存款會變成 $= 12000 \times (1 + 6\%)^4$
$= 12000 \times 1.06^4$
$= 12000 \times 1.2625 \cdots$
$= \$15150$（答案準確至整數）

❹ 日式小丸子原價每顆 $= 14.4 \div 6$
$= 2.4$

店主所開的價格每顆 $= 24 \div 10$
$= 2.4$

兩個價格相同，所以店主開的價格並不是較便宜。

❺ 參考第 21 頁的概率計算法：

愛麗絲班上沒有同學同月同日生的概率

$= \frac{364}{365} \times \frac{363}{365} \cdots \times \frac{317}{365} \times \frac{316}{365}$
$= 0.0296$

愛麗絲班上有同學同月同日生的概率

$= 1 - 0.0296$
$= 0.9704$
$= 97.04\%$

❻ 不同包裝的杏仁巧克力單位價格：

包裝 $= 19.2 \div 12$
$= 1.6$

普通盒裝 $= 25.2 \div 18$
$= 1.4$

禮盒裝 $= 70.4 \div 32$
$= 2.2$

因此，普通盒裝杏仁巧克力的單位價格最便宜。

❼ 大抽獎參加人數為 60 人，共有獎品 $1 + 1 + 1 + 5 + 10$，即 18 份獎品。

李大猩抽到任何一個獎的概率 $= \frac{18}{60}$
$= 0.3$（即 30%）

❽ 小兔子所買的豆沙包數目是 $281.6 \div 8.8$。

小兔子剩下的豆沙包佔原來豆沙包的 $(1 - \frac{5}{16})$。

小兔子剩下豆沙包

$= (281.6 \div 8.8) \times (1 - \frac{5}{16})$
$= \overset{2}{\cancel{32}} \times \frac{11}{\cancel{16}_{1}}$
$= 22$ 個

❾ 紅玫瑰數量 $= 400 \times 30\% \times 80\%$
$= 120 \times 80\%$
$= 96$

海倫的家共種了 96 朵紅玫瑰。

❿ 房東太太吃了蛋糕的 $\frac{1}{3}$。

愛麗絲吃了房東太太餘下蛋糕的 $\frac{3}{4}$，

即 $(1 - \frac{1}{3}) \times \frac{3}{4}$ 個蛋糕。

她們共吃了 $\frac{1}{3} + (1 - \frac{1}{3}) \times \frac{3}{4}$ 個蛋糕。

小兔子所吃的蛋糕 $= 1 - [\frac{1}{3} + (1 - \frac{1}{3}) \times \frac{3}{4}]$
$= 1 - [\frac{1}{3} + \frac{\overset{1}{\cancel{2}}}{\cancel{3}} \times \frac{\cancel{3}}{\cancel{4}_{2}}]$
$= 1 - [\frac{1}{3} + \frac{1}{2}]$
$= 1 - \frac{5}{6}$
$= \frac{1}{6}$

因此，小兔子吃了 $\frac{1}{6}$ 個蛋糕。

你們能通過這
些挑戰嗎？

學語文 習通識 愛閱讀

兒童的學習

跨學科教育

增長語文知識，培養閱讀興趣！

每月15日出版
定價 $38

訂閱雜誌

學語文

SHERLOCK HOLMES 大偵探福爾摩斯

每期連載《大偵探福爾摩斯》英文版，讓讀者通過輕鬆閱讀來學習英文生字及文法，提升英文閱讀及寫作能力。

SAMBA FAMILY

中英對照的《森巴FAMILY》透過生動活潑的漫畫故事，讓讀者掌握生活英語的竅門及會話技巧。

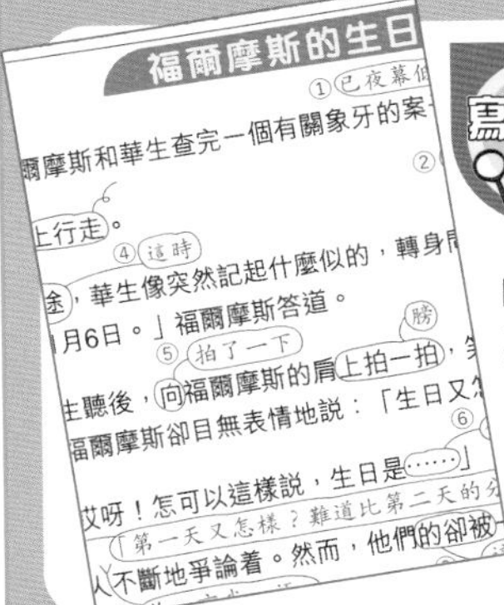

實戰寫作教室

由《大偵探福爾摩斯》作者厲河老師，親自批改讀者投稿的短篇故事，讓大家借實際例子學習寫作技巧。

習通識

學習專輯

每期專題深入淺出地介紹人文、社會、文化、歷史、地理或數理等知識，培養讀者觀察力和分析能力。

簡易小廚神 巧手工坊

趣味十足的親子活動，而且在製作過程中更可了解到當中的科學知識，從實踐中獲得學習樂趣。

愛閱讀

大偵探福爾摩斯 SHERLOCK HOLMES

少年福爾摩斯巧遇唐泰斯，成為他踏上偵探之路的契機！

兒童的學習

求知識・重實踐・講創意

STEM

兒童的科學

15周年

每月1日出版

《科普月刊＋實踐教材》

引領小朋友發現科學的樂趣！

科學實踐專輯

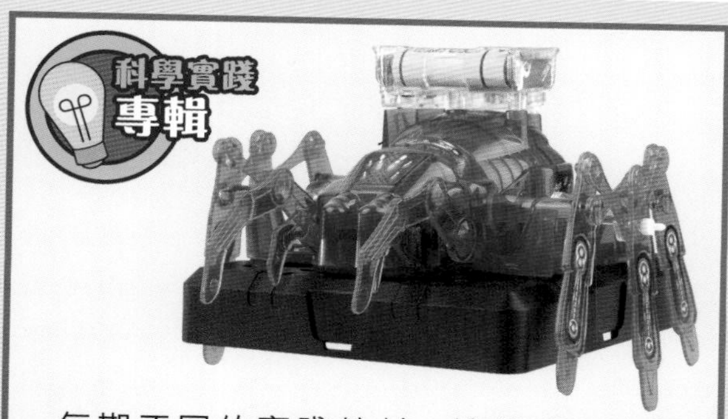

每期不同的實踐教材，讓讀者親身體驗，更容易明白相關的科學原理。

科學DIY

附有紙樣和詳盡製作方法，你都可以做出精美小玩意。

科學實驗室

用常見的物料，親自動手做實驗，解構背後的科學知識。

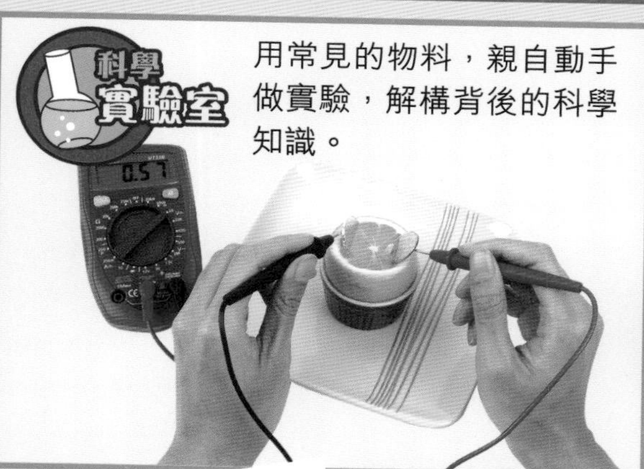

誰改變了世界？

每期連載著名科學家或發明家的生平故事，從中學習如何當上出色的科研人材！

大偵探福爾摩斯科學鬥智短篇

每期連載的科學鬥智短篇故事，看福爾摩斯如何大顯身手！

科學Q&A

透過有趣的漫畫故事，學習不同的科學知識。

兒童的科學

網上購買：www.rightman.net｜購滿 $100 郵費全免

訂閱雜誌：

大偵探福爾摩斯 英文填字遊戲

- 以有趣的填字遊戲學習英文生字。
- 分「熱身」、「過渡」及「挑戰」三階段，由淺入深。
- 每個考驗附有「實用小錦囊」，介紹生字 相關文法知識、中英對照例句及西方文化。

厚達 224 頁，學習超過 1000 個英文生字！

定價 $78

大偵探福爾摩斯 四字成語 101

從 50 多集的《大偵探福爾摩斯》中精選出 101 個成語，並以簡單易明的方法寫出每個成語的意思。通過小遊戲和豐富例句，可學懂相關成語超過 400 個！

練心算 考反應 數學不再沉悶！
大偵探福爾摩斯 數學遊戲卡

定價 $88

大偵探福爾摩斯 健康探秘

「病毒」一直威脅我們的健康，但你對病毒又有多少認識？福爾摩斯和華生為你講解各種病毒、病菌的特徵，讓你學習預防傳染病，戰勝疫症！

定價 $60

大偵探福爾摩斯 常識大百科 2

收錄多個與日常生活相關的有趣知識，天文、地理、生物、化學等不同範疇都有涉及。此外，還活用圖像來解釋各種抽象難懂的知識和概念，激發你的好奇心和求知欲。

定價 $60

大偵探福爾摩斯 交通工具圖鑑

收錄了香港四種交通工具：巴士、鐵路、船及飛機，在大偵探福爾摩斯帶領下，輕鬆地認識各種交通工具的發展與轉變。此外，還講解多個與交通工具相關的俚語及小知識，知識與趣味並重。

定價 $60